세종 한국어

교사용 지도서

3

문화체육관광부
국립국어원

발간사

최근 전 세계인이 접하는 한류 콘텐츠의 규모가 늘어나면서 한류 문화가 확산되고 있고, 그 결과로 한국어를 배우고자 하는 외국인 학습자의 기세가 매우 놀랍습니다. 세계 곳곳이 코로나19로 침체기를 겪던 2021년에도 한국어능력시험 응시자는 30만 명을 훌쩍 넘었으며, 문화체육관광부의 세종학당은 2007년 13곳에서 2022년에는 84개국 244개소로 증가하였습니다. 이러한 한류의 지속적인 확산을 뒷받침하기 위해서는 한국어교육의 탄탄한 지원이 필요합니다.

한류 콘텐츠와 함께 성장하는 한국어교육의 토대를 다지기 위해, 문화체육관광부와 국립국어원은 2011년 처음 발간된 《세종한국어》를 새로 다듬기로 하였습니다. 2019년부터 기초 연구를 시작한 교재 개정 작업은 3년의 시간을 들여, 2022년 드디어 새로운 《세종한국어》를 펴내게 되었고, 이를 세종학당재단과 함께 알리게 되었습니다.

새롭게 개정된 《세종한국어》는 첫째, 세종학당 곳곳에서 한국어를 배우고자 하는 열의로 가득 찬 외국인 학습자 중심의 교재를 지향하였습니다. 둘째, 현지 세종학당의 학습 환경에 따라 유연하게 활용할 수 있는 맞춤형 교재로 정비되었습니다. 셋째, 한류 콘텐츠에 대한 외국인들의 관심을 내용에 반영함으로써, 한국어 공부에 대한 학습자의 부담을 낮췄습니다. 마지막으로 세종학당을 대표하는 표준 교재로서 구심점 역할을 담당하고, 이후의 한국어 학습을 위한 연계성도 잘 갖추었습니다.

세종학당은 한국어와 한국 문화로 한국과 세계를 연결하는 대한민국 대표의 국외 한국어교육 기관입니다. 국립국어원과 문화체육관광부는 앞으로도 세종학당재단과 협력하여 전 세계에서 한국어를 사랑하는 이들이 꿈을 이룰 수 있도록 지속적인 노력과 지원을 아끼지 않겠습니다.

끝으로 교재 개발을 위해 최선의 노력을 기울여 주신 연구·집필진과 출판사 관계자분들께 진심으로 감사의 말씀을 드립니다. 《세종한국어》의 새로운 출발과 함께 문화체육관광부와 국립국어원, 세종학당재단이 세계로 더 나아갈 수 있도록 여러분의 따뜻한 관심 부탁드립니다.

2022년 8월

국립국어원장 장소원

머리말

세종학당은 한국과 전 세계를 연결하는 한국어·한국 문화 보급 기관입니다. 이번에 개발한 교재는 상호 문화주의에 기반하여 한국어 학습에 대한 학습자의 흥미를 증진함으로써 한국어 의사소통 능력을 향상시키는 것을 목표로 하였습니다. 이를 위해 최근 한국의 상황을 적극적으로 반영하였고 최신 교수법을 구현할 수 있는 새로운 구성과 디자인을 적용하였습니다. 이를 통해 국외 한국어교육의 방향성을 새롭게 제시하고자 하였습니다. 개정 《세종한국어》의 구체적 특징은 다음과 같습니다.

첫째, 세종학당의 표준 교육과정인 가형, 나형, 다형 전 과정에 탄력적으로 활용할 수 있도록 '기본 교재'와 '더하기 활동 교재'로 구분하였습니다. '기본 교재'에는 해당 등급에 필요한 핵심적인 내용을 담았으며, '더하기 활동 교재'에는 심화·확장이 필요한 언어 지식과 의사소통 활동을 담았습니다. 이를 통해 다양한 학습자 특성에 맞게 교재를 선택하여 사용할 수 있도록 하였습니다.

둘째, 효과적 교수·학습을 위해 단계별로 단원 구성을 차별화하였으며 학습 내용 또한 언어 발달 단계에 맞는 교수 학습 내용과 절차를 적용하였습니다. 특히 다양한 삽화와 시각적 자료를 적극적으로 제시하여 한국어 학습의 흥미를 극대화할 수 있도록 노력하였습니다.

셋째, 교재 전반에 생생한 한국 문화 내용을 배치하여 학습자들이 상호 문화적 관점에서 한국 문화를 이해하고, 궁극적으로는 자국의 문화와 한국 문화에 대한 바른 태도를 형성할 수 있도록 하였습니다.

넷째, 교재와 함께 '익힘책', '교사용 지도서', '어휘·표현과 문법', 수업용 PPT와 같은 보조 자료들을 개발하여 교사·학습자의 요구에 맞게 교재를 활용할 수 있도록 하였습니다.

이 교재를 기획하고 개발하는 모든 과정에 함께해 주신 국립국어원과 현지 학당과의 협조와 지원을 아끼지 않으신 세종학당재단, 그리고 학습자들이 재미있게 한국어를 배울 수 있도록 멋지게 디자인해 주신 공앤박출판사에 감사의 마음을 전하고 싶습니다. 끝으로 3년이라는 긴 시간 동안 오로지 한국어교육에 대한 열정으로 좋은 교재를 만들어 내기 위해 애써 주신 모든 집필진께 말로는 다할 수 없는 깊은 감사의 마음을 전합니다.

2022년 8월

저자 대표 이정희

차례

1부

공통 내용

1. 교재의 구성

이 교재는 [기본 교재]와 [더하기 활동 교재]로 구성되어 있다. [더하기 활동 교재]에서 '어휘와 표현', '문법' 앞의 '+'의 의미는 [기본 교재]의 확장된 연습이나 활동을 말한다. 즉, [기본 교재]의 '어휘와 표현'에서 제시한 내용을 바탕으로 더 많은 연습이나 활동을 통해 자연스럽게 습득이 가능하도록 [더하기 활동 교재]의 '+어휘와 표현'을 구성하였다. [기본 교재]와 [더하기 활동 교재]의 구성은 다음과 같다.

[기본 교재]

도입	어휘와 표현	문법 1	문법 2	활동 1	활동 2

[더하기 활동 교재]

언어 지식			의사소통		
+어휘와 표현	+문법 1	+문법 2	듣기	읽고 말하기	쓰기

〈[기본 교재]와 [더하기 활동 교재]의 구성〉

[기본 교재]는 세종학당 〈가〉형 교육과정에 적합하다. 〈나〉형의 교육과정을 운영하는 세종학당에서는 학습자의 요구를 반영하여 [기본 교재]에 [더하기 활동 교재]를 추가해 수업을 할 수 있다. 언어 지식 함양에 대해 학습자 요구가 높은 학당에서는 [기본 교재]에 [더하기 활동 교재]의 '+어휘와 표현', '+문법'을 선택 추가할 수 있으며, 의사소통 능력 함양에 대해 학습자 요구가 높은 학당에서는 [기본 교재]에 [더하기 활동 교재]의 '듣기', '읽고 말하기', '쓰기'를 선택 추가하여 수업 운영이 가능하다. 〈다〉형의 교육과정을 운영하는 세종학당에서는 [기본 교재]에 [더하기 활동 교재]를 모두 선택하여 수업하는 방식도 가능하다. 〈가〉, 〈나〉, 〈다〉의 교육과정 유형별 차시 구성의 예시는 다음과 같다.

교육과정 유형	권장 수업 시수	활용 교재
〈가〉형	주 3차시(150분)	[기본 교재] 전체
〈나〉형	주 4~5차시(200~250분)	[기본 교재] 전체 + [더하기 활동 교재] 일부
〈다〉형	주 6차시(300분)	[기본 교재] 전체 + [더하기 활동 교재] 전체

〈교육과정 유형별 차시 구성 및 활용 교재〉

〈가〉, 〈나〉, 〈다〉형 교육과정에서 유형에 상관없이 모두 [기본 교재]는 필수적으로 사용하되 [더하기 활동 교재]는 학당별로 추가 선택이 가능하므로 학당별 상황과 필요에 맞는 교재 활용을 지향한다. 3단계 교재는 3A, 3B로 나누어지며 각 12개의 단원으로 구성되어 있다.

〈가〉형 교육과정 운영 시	오리엔테이션	기본 1~6과 18시수	복습, 문화 활동 등	7~12과 18시수	복습, 수료 평가
〈나〉형 교육과정 운영 시	오리엔테이션	기본+더하기 1~6과 24~30시수	복습, 문화 활동 등	기본+더하기 7~12과 24~30시수	복습, 수료 평가
〈다〉형 교육과정 운영 시	오리엔테이션	기본+더하기 1~6과 36시수	복습, 문화 활동 등	기본+더하기 7~12과 36시수	복습, 수료 평가

〈학기별 운영 상황에 따른 교재 활용의 예시〉

2. 교육과정(시수)에 따른 교재 활용

본 교재는 [기본 교재]와 [더하기 활동 교재]로 구성되어 있으므로 교육과정 유형(시수)에 따라 다양한 활용이 가능하다. 다만 [기본 교재]는 해당 수준에서 다뤄야 할 핵심 내용을 담고 있고 [더하기 활동 교재]는 [기본 교재]를 토대로 더 많은 연습과 활동이 추가된 것이므로 이를 학습자의 요구와 학당별 시수에 적합하게 적용할 것을 권장한다.

〈가〉형의 150분 수업, 〈나〉형의 200분 및 250분 수업, 〈다〉형의 300분 수업을 예로 들어 제시하면 다음과 같다. 아래 표에서 [기본 교재]가 활용되는 부분은 으로, [더하기 활동 교재]가 활용되는 부분은 으로 표시하였다.

〈가〉형 기본 수업 = 150분(3시수)

항목	도입	어휘와 표현	문법 1	문법 2	활동 1	활동 2	정리
권장 시간	15′	35′	25′	25′	20′	25′	5′
주 3회	1교시		2교시		3교시		
주 2회	1교시			2교시			

일주일에 150분 또는 3시간 수업으로 한 학기에 3A나 3B를 가르치는 학당에서는 [기본 교재]를 순서대로 모두 가르칠 것을 권장한다. 이때 [더하기 활동 교재] 중 '+어휘와 표현', '+문법 1, 2'는 과제로 제시하여 언어 지식에 대한 연습을 하게 할 수 있다. 이를 통해 언어 기능 수업, 즉 '활동 1, 2' 수업이 원활하게 진행되는 것을 도울 수 있을 것이다.

〈나〉형 지식 강화 수업 = 200분(4시수)

항목	도입	어휘와 표현	+어휘와 표현	문법 1	+문법 1	문법 2	+문법 2	활동 1	활동 2	정리
권장 시간	10′	25′	15′	25′	25′	25′	25′	20′	25′	5′
주 4회	1교시			2교시		3교시		4교시		
주 2회	1교시					2교시				

일주일에 200분 또는 4시간 수업으로 한 학기에 3A나 3B를 가르치는 학당에서는 [기본 교재]의 '도입'과 '어휘와 표현' 학습 후 [더하기 활동 교재]의 '+어휘와 표현'을 확장하여 가르칠 수 있다. 또한 [기본 교재]의 '문법 1, 2'를 가르친 후 [더하기 활동 교재]의 '+문법 1, 2'를 학습할 수 있다.

〈나〉형 활동 강화 수업 = 200분(4시수)

항목	도입	어휘와 표현	문법 1	문법 2	활동 1	듣기	활동 2	읽고 말하기	정리
	도입	어휘와 표현	문법 1	문법 2	활동 1	읽고 말하기	활동 2	쓰기	정리
권장 시간	15′	35′	25′	25′	25′	25′	25′	20′	5′
주 4회	1교시		2교시		3교시		4교시		
주 2회	1교시				2교시				

일주일에 200분 또는 4시간 수업으로 한 학기에 3A나 3B를 가르치는 학당에서는 [기본 교재]의 '도입'과 '어휘와 표현', '문법 1, 2', '활동 1'을 가르치고 [더하기 활동 교재]의 '듣기'나 '읽고 말하기'를 가르칠 수 있다. 이어서 [기본 교재]의 '활동 2'를 가르친 후 [더하기 활동 교재]의 '읽고 말하기'나 '쓰기'를 가르칠 수 있다. 이는 [기본 교재] '활동 1'의 확장 개념으로 [더하기 활동 교재]의 '듣기', [기본 교재] '활동 2'의 확장 개념으로 [더하기 활동 교재]의 '읽고 말하기'가 고안되었기 때문이다. '활동 1, 2'에 덧붙여 [더하기 활동 교재]를 활용할 때에는 '듣기'나 '읽고 말하기', '쓰기' 가운데 학당의 특성에 맞게 더 필요한 한 가지 기능, 즉 '말하기'나 '쓰기'에 집중하여 해당 수업을 운영할 수도 있다. 또한 '쓰기'의 경우 쓰기 기능이 필요한 학습자를 대상으로 수업에 편성하거나 별도의 숙제로 제시할 수 있다.

〈나〉형 집중 수업 = 250분(5시수)

항목	도입	어휘와 표현	+어휘와 표현	문법 1	+문법 1	문법 2	+문법 2	활동 1	듣기	활동 2	읽고 말하기	정리
	도입	어휘와 표현	+어휘와 표현	문법 1	+문법 1	문법 2	+문법 2	활동 1	읽고 말하기	활동 2	쓰기	정리
권장 시간	10′	25′	15′	25′	25′	30′	20′	25′	25′	25′	20′	5′
주 5회	1교시			2교시		3교시		4교시		5교시		
주 4회	1교시				2교시			3교시		4교시		

일주일에 250분 또는 5시간 수업으로 한 학기에 3A나 3B를 가르치는 학당에서는 [기본 교재]의 '도입'과 '어휘와 표현'을 가르친 후 [더하기 활동 교재]의 '+어휘와 표현'을 가르친다. 이어 [기본 교재]의 '문법 1'을 가르친 후 [더하기 활동 교재]의 '+문법 1', [기본 교재]의 '문법 2'를 가르친 후 [더하기 활동 교재]의 '+문법 2'를 가르친다. 4교시에는 [기본 교재]의 '활동 1'을 가르친 후 [더하기 활동 교재]의 '듣기'나 '읽고 말하기'를 가르친다. 마지막 5교시에는 [기본 교재]의 '활동 2'를 가르친 후, [더하기 활동 교재]의 '읽고 말하기'나 '쓰기'를 가르친다. '활동 1, 2'에 덧붙여 [더하기 활동 교재]를 활용할 때에는 '듣기'나 '읽고 말하기', '쓰기' 가운데 학당의 특성에 맞게 더 필요한 한 가지 기능에 집중하여 해당 수업을 운영할 수도 있다.

〈나〉형 교육과정의 경우 기본 모형이자, 학당에서 현지 사정에 맞게 변용하기에 좋은 모형이므로 학습자의 요구와 학당 편성 시수에 맞춰 다양하게 적용해 볼 수 있다. 학당의 한 학기 수업 편성 후 학습자의 요구를 분석하여 '지식 강화 수업', '활동 강화', '집중 수업'의 형태를 결정한 후 각 수업 모형에 맞춰 사전에 [기본 교재]와 [더하기 활동 교재]를 재구성할 것을 권장한다.

〈다〉형 심화 수업 = 300분(6시수)

항목	도입	어휘와 표현	+어휘와 표현	문법 1	+문법 1	문법 2	+문법 2	활동 1	듣기	읽고 말하기	활동 2	쓰기	정리
권장 시간	15′	35′	25′	25′	25′	25′	25′	25′	25′	25′	25′	20′	5′
주 6회	1교시		2교시		3교시		4교시		5교시		6교시		
주 4회	1교시			2교시			3교시			4교시			

일주일에 300분 또는 6시간 수업으로 한 학기에 3A나 3B를 가르치는 학당에서는 [기본 교재]와 [더하기 활동 교재]를 순서대로 모두 가르칠 것을 권장한다. [더하기 활동 교재]는 [기본 교재] 각 요소별로 이어서 활동할 수 있도록 구성이 되어 있는데 교사의 수업 운영 방식에 따라 활동 순서를 조정하여 진행하여도 무방하다. 다만 [기본 교재]의 '활동 1'은 해당 단원의 모범 대화문과 목표 활동인 말하기가 포함되어 있으므로 해당 부분 이후 추가적인 활동을 이어가는 것이 자연스럽다.

3. 교재 활용 및 세부 지침

[기본 교재]와 [더하기 활동 교재]는 다음과 같이 구성되었으므로 이를 참고해 수업에서 활용할 수 있다.

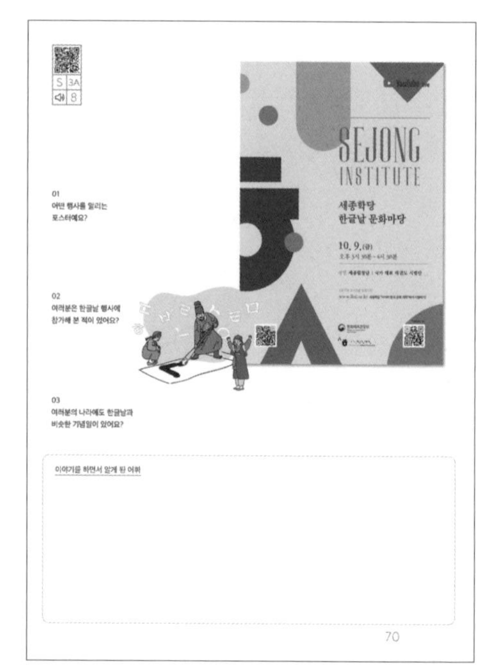

[기본 교재]의 '도입'은 해당 단원의 주제와 관련이 있는 장면이나 한국의 문화 지식을 제시하고자 하였다. 또한 해당 단원에서 배울 내용에 대한 배경지식을 활성화하여 학습자들이 재미있고 쉽게 주제에 친숙해지도록 하였다. 따라서 도입 부분의 사진/삽화를 통해 생각해 보거나 도입의 질문을 통해 말해 보는 활동을 충분히 할 수 있도록 한다.

- '도입'은 총 2쪽으로 이루어져 있다. 첫 번째 페이지는 단원명, 삽화, 학습 목표로 이루어져 있으며, 두 번째 페이지는 주제 관련 사진/삽화 자료와 도입 질문으로 구성되어 있다.
- 먼저, 수업이 시작되면 도입의 첫 번째 페이지를 학습자들과 함께 살펴본다. 삽화를 함께 보면서 2~3가지 질문을 통해 해당 시간에 학습할 주제에 학습자들이 관심을 갖고 스키마를 형성할 수 있도록 한다.
- 학습자들에게 해당 시간에 배울 주제와 학습 목표에 대해 간단하게 설명한 후, 두 번째 페이지로 넘어가 사진/삽화를 보면서 교재에 제시된 질문을 한다. 학습자들이 주제에 관련된 개인적인 경험을 떠올리며 대답해 볼 수 있도록 한다.

어휘와 표현

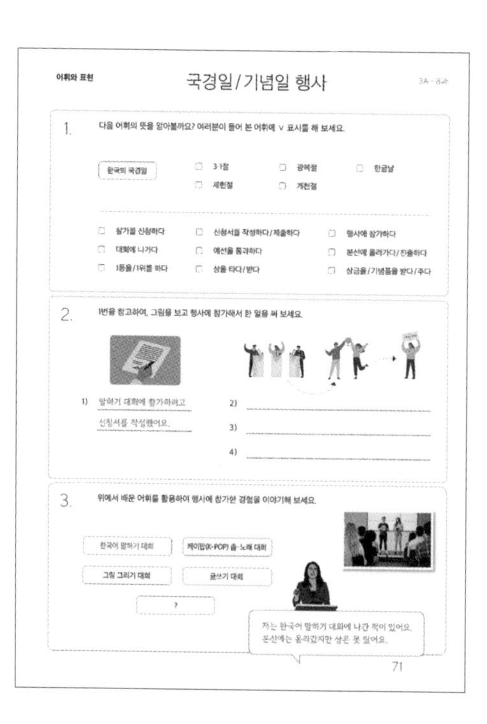

어휘와 표현

국경일/기념일 행사

3A - 8과

1. 다음 어휘의 뜻을 알아볼까요? 여러분이 들어 본 어휘에 v 표시를 해 보세요.

한국의 국경일: □ 3·1절 □ 광복절 □ 한글날 □ 제헌절 □ 개천절

□ 참가를 신청하다 □ 신청서를 작성하다/제출하다 □ 행사에 참가하다
□ 대회에 나가다 □ 예선을 통과하다 □ 본선에 올라가다/진출하다
□ 1등을/1위를 하다 □ 상을 타다/받다 □ 상금을/기념품을 받다/주다

2. 1번을 참고하여, 그림을 보고 행사에 참가해서 한 일을 써 보세요.

1) 말하기 대회에 참가하려고 신청서를 작성했어요.
2)
3)
4)

3. 위에서 배운 어휘를 활용하여 행사에 참가한 경험을 이야기해 보세요.

한국어 말하기 대회 / 케이팝(K-POP) 춤·노래 대회 / 그림 그리기 대회 / 글쓰기 대회 / ?

저는 한국어 말하기 대회에 나간 적이 있어요. 본선에는 올라갔지만 상은 못 탔어요.

71

[기본 교재]의 '어휘와 표현'은 해당 단원에서 다루는 주제의 대표적인 어휘를 선정하되 덩어리 표현으로 제시하여 언어 사용에 초점을 두었다. '어휘와 표현'은 제시, 기계적 연습, 유의적 연습으로 구성하였다. 의미를 이해하는 활동에서 표현하는 활동으로 확장하여 학습자들이 배운 어휘와 표현을 맥락에 맞게 사용할 수 있도록 하였다. 단원에 따라서 어휘군이 2개인 경우에는 1번과 2번으로 나누어 어휘를 제시하였다.

즉 1번은 삽화나 단순한 활동을 통해 기본적인 의미를 익히도록, 2번은 1번에서 배운 어휘의 연습이 가능하도록, 3번은 1번과 2번에서 배운 것이 '자기 발화'로 나타나 내재화되도록 구성하였다.

+어휘와 표현

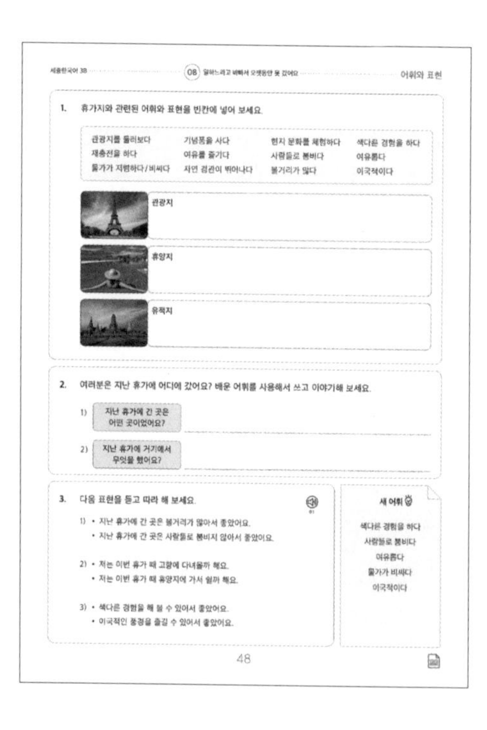

세종한국어 3B · 08 일하느라고 바빠서 오랫동안 못 갔어요 · 어휘와 표현

1. 휴가지와 관련된 어휘와 표현을 빈칸에 넣어 보세요.

관광지를 둘러보다	기념품을 사다	현지 문화를 체험하다	색다른 경험을 하다
재충전을 하다	여유를 즐기다	사람들로 붐비다	여유롭다
물가가 저렴하다/비싸다	자연 경관이 뛰어나다	볼거리가 많다	이국적이다

관광지

휴양지

유적지

2. 여러분은 지난 휴가에 어디에 갔어요? 배운 어휘를 사용해서 쓰고 이야기해 보세요.

1) 지난 휴가에 간 곳은 어떤 곳이었어요?
2) 지난 휴가에 거기에서 무엇을 했어요?

3. 다음 표현을 듣고 따라 해 보세요.

1) • 지난 휴가에 간 곳은 볼거리가 많아서 좋았어요.
• 지난 휴가에 간 곳은 사람들로 붐비지 않아서 좋았어요.

2) • 저는 이번 휴가 때 고향에 다녀올까 해요.
• 저는 이번 휴가 때 휴양지에 가서 쉴까 해요.

3) • 색다른 경험을 해 볼 수 있어서 좋았어요.
• 이국적인 풍경을 즐길 수 있어서 좋았어요.

새 어휘: 색다른 경험을 하다 / 사람들로 붐비다 / 여유롭다 / 물가가 비싸다 / 이국적이다

48

[더하기 활동 교재]의 '어휘와 표현'은 [기본 교재]에서 배운 내용을 바탕으로 다른 형태의 연습을 할 수 있도록 하였다. 일부 단원의 1번에서는 [기본 교재]에서 다루지 않은 새 어휘를 제시하여 어휘를 확장시키고 풍부한 언어 사용이 가능하도록 하는 데 초점을 두었다.

2번 역시 [기본 교재]와 다른 유형의 연습, 게임을 통해 배운 어휘와 표현을 익히도록 하였다. 짝 활동, 모둠 활동 같은 교실 기반의 활동을 통해 어휘 연습이 충분히 이루어지도록 하였으며 학습자 자신의 정보를 활용하여 말하기 활동을 할 수 있도록 하였다.

1) 어휘 제시: 기본 교재 1번

- 본 수업에서 목표로 하는 '어휘와 표현' 항목을 활용하여 도입 질문을 한다.
- 듣기 파일을 듣고 따라 해 본다. 이때 학습자들의 발음을 잘 듣고 틀린 발음이 있을 경우 간단하게 교정해 준다.
- 단원에 따라 해당 질문에 대해 학습자에게 √ 표시를 하게 하는 단원이 있다. √ 표시를 하는 것이 있는 경우는 먼저 듣기 파일을 듣고 따라 하게 한 후 √ 표시를 하게 하거나, √ 표시를 한 후 듣기 파일을 듣고 표현을 따라 하게 할 수 있다.
- 교재에 제시된 질문을 읽고 해당 질문에 학습자들이 √ 표시를 해 볼 수 있도록 한다. √ 표시가 끝나면 학습자들에게 질문을 하면서 대답을 들어 본다.
- 어휘의 의미를 설명한다.
- 어휘를 사용할 수 있는 연습 활동을 한다. 그림이나 어휘 카드를 사용해 교사가 학습자들에게 목표 어휘를 활용해 대답할 수 있도록 질문할 수 있으며, 학습자들에게 그림이나 어휘 카드를 나누어 주고 릴레이 연습이나 팀 대항 연습을 하게 할 수 있다.

2) 기계적 연습 또는 의미 확인: 기본 교재 2번, 더하기 활동 교재 1번

- 교재에 제시된 질문을 읽고 〈보기〉를 통해 문제에 대해 설명한다.
- [더하기 활동 교재]에서 [기본 교재]에 제시되지 않은 새 어휘가 제시된 경우 해당 의미를 설명할 수 있다.
- 학습자들에게 시간을 주고 문제를 풀어 보게 한다.
- 학습자들이 각자 문제를 풀었으면 동료 학습자와 답을 맞춰 보거나 말하기 연습을 하게 한다.
- 학습자들에게 대화를 수행하게 하고, 교사와 함께 답을 맞춰 보면서 의미를 확인한다. 이때 가, 나 대화쌍은 교사-학습자, 학습자-학습자 등 다양한 역할 구성으로 바꾸어 질문하고 대답해 볼 수 있다. 교사가 학습자에게 추가 질문을 하거나 학습자들끼리 짝을 지어 묻고 대답하는 방법을 통해 모든 학습자가 말하기 연습을 해 볼 수 있도록 한다.

3) 유의적 연습 또는 간단한 활동: 기본 교재 3번, 더하기 활동 교재 2번

- 교재에 제시된 질문을 읽고 〈보기〉를 통해 문제에 대해 설명한다.
- 학습자들에게 시간을 주고 문제를 풀어 보게 한다.
- 학습자들이 각자 문제를 풀었으면 동료 학습자와 답을 맞춰 보거나 말하기 연습을 하게 한다.
- 학습자들에게 대화를 수행하게 하고, 교사와 함께 답을 맞춰 보면서 의미를 확인한다. 이때 가, 나 대화쌍을 교사-학습자, 학습자-학습자 등 다양한 역할 구성으로 바꾸어 질문하고 대답해 볼 수 있다. 교사가 학습자에게 추가 질문을 하거나 학습자들끼리 짝을 지어 묻고 대답하는 방법을 통해 모든 학습자가 말하기 연습을 해 볼 수 있도록 한다.
- 마지막 항목에서 학습자가 자신의 정보를 활용하는 경우는 여러 학습자들이 발표할 수 있도록 하며, 틀린 표현이 있을 경우 간단하게 교정해 준다.

연습을 확인하는 방법

1. 교사가 질문을 하면 학습자들이 대답하는 형식으로 정답을 확인한다.
2. 닫혀 있는 질문의 경우 한 문제당 학습자 1명의 답을 듣고 정답을 확인한 후 추가 질문을 통해 다른 학습자들도 응답을 해 볼 수 있는 기회를 갖도록 한다.
3. 응답이 열려 있는 경우 한 문제당 학습자 2~3명의 답을 들어 보도록 하여 모든 학습자가 한 번씩은 모두 응답할 수 있도록 한다.
4. 교사가 질문하는 대신 학습자-학습자가 질문하고 답하는 형식을 통해 답을 확인해 볼 수도 있다.

문법 1, 2

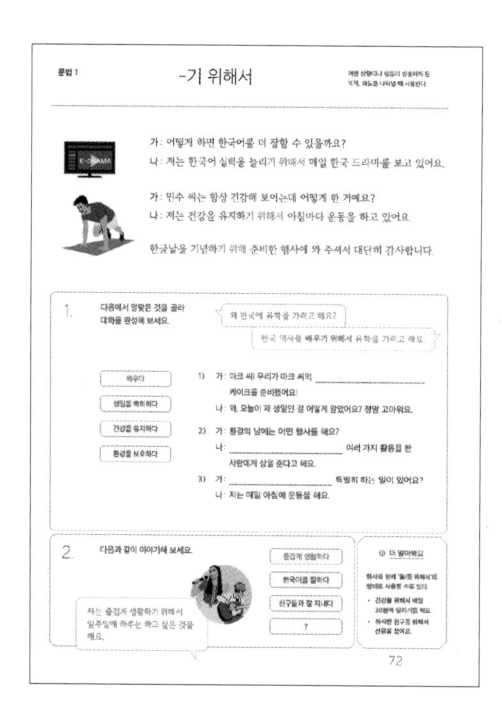

문법 1

-기 위해서

가: 어떻게 하면 한국어를 더 잘할 수 있을까요?
나: 저는 한국어 실력을 늘리기 위해서 매일 한국 드라마를 보고 있어요.

가: 민수 씨는 항상 건강해 보이는데 어떻게 한 거예요?
나: 저는 건강을 유지하기 위해서 아침마다 운동을 하고 있어요.

한글날을 기념하기 위해 준비한 행사에 와 주셔서 대단히 감사합니다.

1. 다음에서 알맞은 것을 골라 대화를 완성해 보세요.

왜 한국에 유학을 가려고 해요?
한국 역사를 배우기 위해서 유학을 가려고 해요.

배우다 / 생일을 축하하다 / 건강을 유지하다 / 환경을 보호하다

1) 가: 마크 씨! 우리가 마크 씨의 ________ 케이크를 준비했어요!
나: 와, 오늘이 제 생일인 걸 어떻게 알았어요? 정말 고마워요.
2) 가: 환경의 날에는 어떤 행사를 해요?
나: ________ 여러 가지 활동을 한 사람에게 상을 준다고 해요.
3) 가: ________ 특별히 하는 일이 있어요?
나: 저는 매일 아침에 운동을 해요.

2. 다음과 같이 이야기해 보세요.

즐겁게 생활하다 / 한국어를 잘하다 / 친구들과 잘 지내다 / ?

저는 즐겁게 생활하기 위해서 일주일에 하루는 하고 싶은 것을 해요.

더 알아봐요

72

[기본 교재]의 '문법 1, 2'는 해당 단원에서 꼭 배워야 하는 두 개의 필수 항목으로 선정하였다. 해당 문법 항목을 언제 사용해야 하는지에 대한 의미 중심의 설명을 해당 문법 항목 옆에 두었다. 무엇보다 수업에서 교사가 문법 항목의 설명, 즉 도입 활동을 삽화를 활용해 할 수 있도록 하였다. 따라서 삽화를 보면서 해당 문법의 의미를 학습자가 유추해 보기를 권장한다. 그리고 문법의 특성에 따라 다양한 예시를 함께 제시하여 도입에 활용할 수 있게 하였다.

1번은 단순하고 유도된 연습을 통해 해당 문법을 익히도록 하였다. 2번은 1번에서 익힌 연습의 확장 또는 유의적 연습으로 짝 활동, 모둠 활동을 할 수 있도록 구성하였다.

해당 문법의 형태적인 연습 활동은 '익힘책'에 제시해 두었다. 익힘책은 독학용 교재로 제작되었으나 학습자의 언어 수준과 요구에 따라 교사가 이를 적절히 활용할 수 있다.

+문법

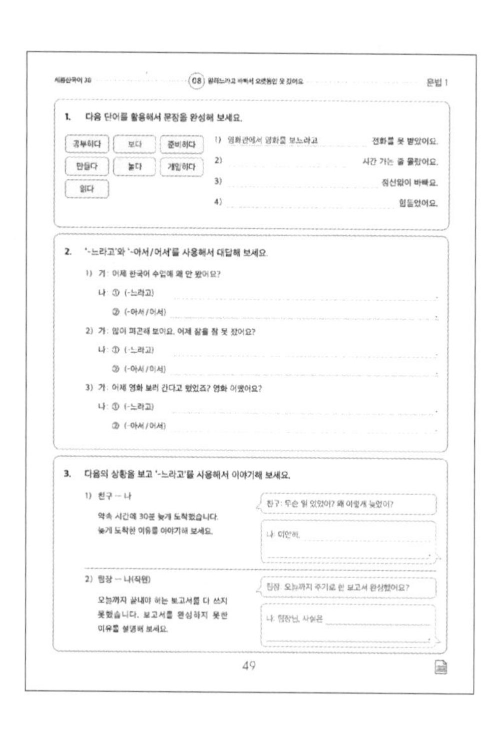

문법 1

1. 다음 단어를 활용해서 문장을 완성해 보세요.

공부하다 / 보다 / 준비하다 / 만들다 / 놀다 / 게임하다 / 읽다

1) 영화관에서 영화를 보느라고 ________ 전화를 못 받았어요.
2) ________ 시간 가는 줄 몰랐어요.
3) ________ 정신없이 바빠요.
4) ________ 힘들었어요.

2. '-느라고'와 '-아서/어서'를 사용해서 대답해 보세요.

1) 가: 어제 한국어 수업에 왜 안 왔어요?
나: ① (-느라고) ________.
② (-아서/어서) ________.
2) 가: 많이 피곤해 보여요. 어제 잠을 잘 못 잤어요?
나: ① (-느라고) ________.
② (-아서/어서) ________.
3) 가: 어제 영화 보러 간다고 했었죠? 영화 어땠어요?
나: ① (-느라고) ________.
② (-아서/어서) ________.

3. 다음의 상황을 보고 '-느라고'를 사용해서 이야기해 보세요.

1) 친구 — 나
약속 시간에 30분 늦게 도착했습니다. 늦게 도착한 이유를 이야기해 보세요.
친구: 무슨 일 있었어? 왜 이렇게 늦었어?
나: 미안해, ________.

2) 팀장 — 나(직원)
오늘까지 끝내야 하는 보고서를 다 쓰지 못했습니다. 보고서를 완성하지 못한 이유를 설명해 보세요.
팀장: 오늘까지 주기로 한 보고서 완성했어요?
나: 팀장님, 사실은 ________.

49

[더하기 활동 교재]의 문법은 [기본 교재]에서 배운 '문법 1, 2'에 대한 확장 개념으로 고안되었다. 즉 더 많은 연습을 하기 위한 것이다. [기본 교재]의 연습과는 다른 유형을 제시하였으며 학습자에게 유의미한 연습이 되도록 함과 동시에 인지적 자극이 될 수 있도록 하였다.

또한 교실 내에서 다양한 짝 활동, 모둠 활동이 가능하도록 구성하였다. 특히 게임을 통한 활동은 더 많은 시간을 배분하여 진행할 수 있도록 하였으므로 수업에서 교사가 이를 적절히 활용하도록 권장한다.

1) 목표 문법 및 예문 제시: 기본 교재 상단

- 학습자들에게 제시된 삽화와 관련된 질문을 하며 도입하도록 한다.
- 질문하고 대답하는 과정을 통해 자연스럽게 목표 문법을 노출하도록 한다.
- 문법의 형태를 제시하고 의미를 설명한다. 각 문법의 규칙, 제약, 추가적인 의미 등을 설명한다.
- 명사/동사/형용사 활용의 경우 단어 카드를 사용해 연습한다.
- 문장 카드를 사용해 연습한다. 목표 문법에 따라 문장 연결을 할 수 있고, 문장에 대한 대답을 할 수 있다.
- 단어 카드나 문장 카드를 사용해 연습하는 경우, 교사—학습자뿐 아니라 학습자—학습자 간 질문과 대답 활동 등 다양하게 역할과 상황을 제시하여 연습을 한다.
- 교재에 제시된 문장을 학습자와 함께 읽어 본다.

2) 기계적 연습 또는 문장 완성하기: 기본 교재 1번, 더하기 활동 교재 1번

- 교재에 제시된 지시문을 읽는다.
- 〈보기〉를 학습자들과 함께 읽어 본다.
- 〈보기〉를 통해 연습 유형을 학습자들에게 설명한다.
- 학습자들에게 시간을 주고 문제를 풀어 보게 한다. 교사는 학습자가 문제를 푸는 동안 교실을 돌아다니며 학습자들이 문제를 잘 풀고 있는지 확인한다.
- 학습자들이 각자 문제를 풀었으면 동료 학습자와 답을 맞춰 보거나 말하기 연습을 하게 한다.
- 학습자들에게 대화를 수행하게 하고, 교사와 함께 답을 맞춰 보면서 의미를 확인한다. 이때 가, 나 대화쌍은 교사—학습자, 학습자—학습자 등 다양한 역할 구성으로 바꾸어 질문하고 대답해 볼 수 있다. 교사가 학습자에게 추가 질문을 하거나 학습자들끼리 짝을 지어 묻고 대답하는 방법을 통해 모든 학습자가 말하기 연습을 해 볼 수 있도록 한다.

3) 유의적 연습 또는 간단한 활동 및 대화 완성하기: 기본 교재 2번, 더하기 활동 교재 2번

- 교재에 제시된 지시문을 읽는다.
- 〈보기〉를 학습자들과 함께 읽어 본다.
- 〈보기〉를 통해 연습 유형을 학습자들에게 설명한다.
- 학습자들에게 시간을 주고 문제를 풀어 보게 한다. 교사는 학습자가 문제를 푸는 동안 교실을 돌아다니며 학습자들이 문제를 잘 풀고 있는지 확인한다.
- 학습자들이 각자 문제를 풀었으면 동료 학습자와 답을 맞춰 보거나 말하기 연습을 하게 한다.
- 학습자들에게 대화를 수행하게 하고, 교사와 함께 답을 맞춰 보면서 의미를 확인한다. 이때 가, 나 대화쌍을 교사—학습자, 학습자—학습자 등 다양한 역할 구성으로 바꾸어 질문하고 대답해 볼 수 있다. 교사가 학습자에게 추가 질문을 하거나 학습자들끼리 짝을 지어 묻고 대답하는 방법을 통해 모든 학습자가 말하기 연습을 해 볼 수 있도록 한다.
- 마지막 항목에서 학습자가 자신의 정보를 활용하는 경우는 여러 학습자들이 발표할 수 있도록 하며, 틀린 표현이 있을 경우 간단하게 교정해 준다.

활동 1

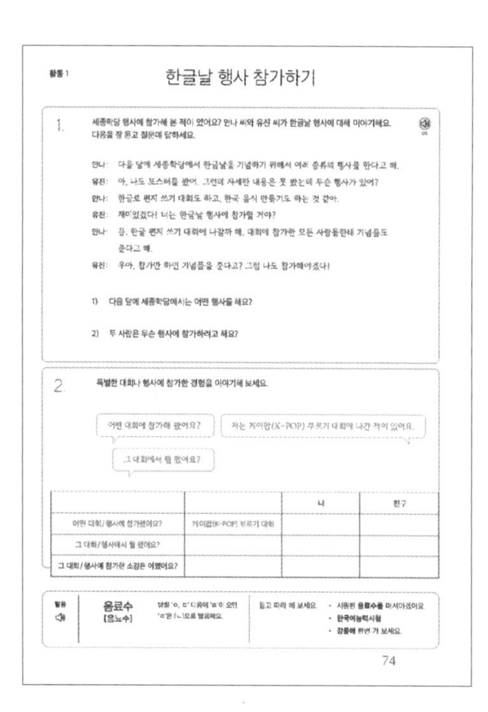

활동 1

한글날 행사 참가하기

1. 세종학당 행사에 참가해 본 적이 있어요? 안나 씨와 유진 씨가 한글날 행사에 대해 이야기해요. 다음을 잘 듣고 질문에 답하세요.

안나: 다음 달에 세종학당에서 한글날을 기념하기 위해서 여러 종류의 행사를 한다고 해.
유진: 아, 나도 포스터를 봤어. 그런데 자세한 내용은 못 봤는데 무슨 행사가 있어?
안나: 한글로 편지 쓰기 대회도 하고, 한국 음식 만들기도 하는 것 같아.
유진: 재미있겠다! 너는 한글날 행사에 참가할 거야?
안나: 응. 한글 편지 쓰기 대회에 나갈까 해. 대회에 참가한 모든 사람들한테 기념품도 준다고 해.
유진: 우아, 참가만 하면 기념품을 준다고? 그럼 나도 참가해야겠다!

1) 다음 달에 세종학당에서는 어떤 행사를 해요?

2) 두 사람은 무슨 행사에 참가하려고 해요?

2. 특별한 대회나 행사에 참가한 경험을 이야기해 보세요.

어떤 대회에 참가해 봤어요?
저는 케이팝(K-POP) 부르기 대회에 나간 적이 있어요.
그 대회에서 뭘 했어요?

		나	친구
어떤 대회/행사에 참가했어요?	케이팝(K-POP) 부르기 대회		
그 대회/행사에서 뭘 했어요?			
그 대회/행사에 참가한 소감은 어땠어요?			

발음
음료수 [음뇨수]
받침 'ㅇ, ㅁ' 다음에 'ㄹ'이 오면 'ㄹ'은 [ㄴ]으로 발음해요.
듣고 따라 해 보세요.
- 시원한 음료수를 마셔야겠어요.
- 한국어능력시험
- 강릉에 한번 가 보세요.

74

[기본 교재]의 '활동 1'은 '대화문, 듣기, 말하기'에 초점을 두었다.

1번은 해당 단원의 주제로 구성된 모범 대화문을 제시하였다. 모범 대화문의 앞부분에는 어떤 상황에서 대화가 진행되는지를 알 수 있도록 지시문을 두었다. 지시문 자체가 대화문의 배경지식을 활성화하도록 되어 있으므로 이를 대화문 도입으로 사용할 것을 권장한다. 모범 대화문 아래에는 대화문을 듣고 풀 수 있는 이해 확인 질문을 두었다. 이를 통해 '어휘와 표현', '문법'에서 익힌 내용을 파악하도록 하였으므로 이를 수업에서 활용할 수 있다.

2번은 모범 대화문의 압축된 내용으로 구성되어 있으며 특히 교체 연습을 통해 학습자가 쉽게 대화에 익숙해지도록 하였다. 또한 마지막 부분에서는 학습자가 자신의 정보를 활용하여 대화를 만들어 보게 함으로써 유사한 상황에서 자기 발화가 가능하도록 하였다. 여기에 더 많은 시간이 배분될 수 있다.

또한 짝수 단원에서는 '발음'이 제시된다. '발음'은 대화문에서 제시된 표현 중 3단계 학습자가 언어 지식으로 익힐 시 도움이 되는 항목을 선정하였으며, 목표 항목과 실제 발음, 발음의 원리를 제시하였고 연습할 수 있는 예문을 제시하였다.

+듣기

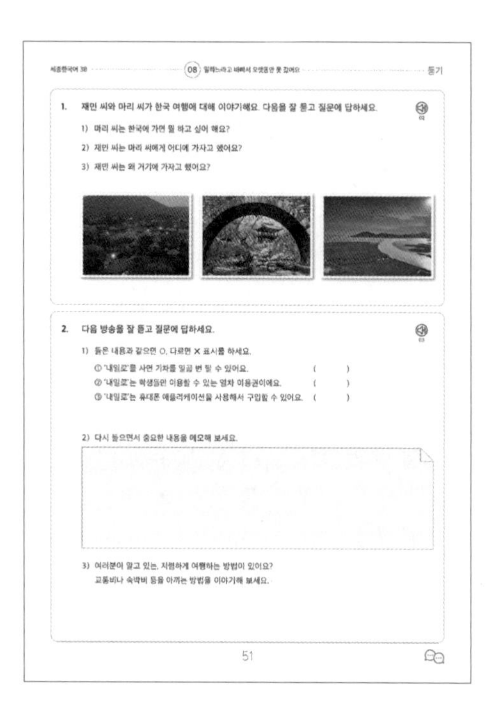

세종한국어 3B · 08 일하느라고 바빠서 오랫동안 못 갔어요 · 듣기

1. 재민 씨와 마리 씨가 한국 여행에 대해 이야기해요. 다음을 잘 듣고 질문에 답하세요.

1) 마리 씨는 한국에 가면 뭘 하고 싶어 해요?
2) 재민 씨는 마리 씨에게 어디에 가자고 했어요?
3) 재민 씨는 왜 거기에 가자고 했어요?

2. 다음 방송을 잘 듣고 질문에 답하세요.

1) 들은 내용과 같으면 O, 다르면 X 표시를 하세요.
① '내일로'를 사면 기차를 일곱 번 탈 수 있어요. ( )
② '내일로'는 학생들만 이용할 수 있는 열차 이용권이에요. ( )
③ '내일로'는 휴대폰 애플리케이션을 사용해서 구입할 수 있어요. ( )

2) 다시 들으면서 중요한 내용을 메모해 보세요.

3) 여러분이 알고 있는, 저렴하게 여행하는 방법이 있어요? 교통비나 숙박비 등을 아끼는 방법을 이야기해 보세요.

51

[더하기 활동 교재]의 '듣기'는 [기본 교재]에서 배운 '활동 1'의 연장이다.

1번에서는 [기본 교재]의 대화문보다는 다소 확장된 수준의 발화를 듣기 지문으로 제시하였고 이해 확인 질문을 통해 듣기 이해 활동이 가능하도록 하였다.

2번은 들은 내용에 대한 이해는 물론 듣고 말하기 활동을 통해 해당 주제에 대해 자기 발화가 가능하도록 하였다. 2번은 짝 활동, 모둠 활동이 가능하므로 더 많은 시간을 배분할 수 있다.

1) 듣기: 기본 교재 1번, 더하기 활동 교재 1번

- 학습자들과 함께 페이지 상단의 제목을 읽어 보고 어떤 주제에 대해 듣고 말할지 간단하게 이야기해 본다. 이때 해당 주제에 대해 학습자들의 개인적인 경험을 질문해 볼 수 있다.
- 지시문을 읽는다. 대화자, 대화 상황이 무엇인지 질문을 통해 확인한다.
- 문제를 읽어 본다. 이때 듣기에 나올 어휘 중 중요한 어휘 혹은 학습자들이 모를 만한 어휘를 알려 준다.
- 책에 있는 대화문을 보지 않고 듣기 지문을 듣게 한다. 대화 내용과 관련하여 핵심적인 내용을 파악할 수 있는 질문을 한다.
- 듣기 지문을 다시 듣는다. 학습자들이 교재에 제시된 질문에 답할 수 있도록 한다.
- 답을 확인한다. 교재의 질문 이외에도 세부적인 내용을 파악할 수 있는 질문을 해 본다.
- 내용 파악이 끝난 후에는 책을 보지 않고 듣기를 들으며 한 문장씩 따라 말하게 하거나, 학습자들이 동료와 나누어 읽도록 한다.

2) 말하기: 기본 교재 2번, 더하기 활동 교재 2번

- 듣기 내용과 관련 있는 말하기 활동을 해 볼 수 있도록 한다.
- 먼저 1번에서 익힌 대화문을 활용해 도입을 한다.
- 교재에 제시된 〈보기〉를 학습자들과 함께 읽어 본다.
- 마지막 부분에서 학습자가 자신의 정보를 활용하는 경우는 자신의 정보를 작성할 시간을 준다.
- 짝이나 팀을 정해 학습자들이 말하기 활동을 할 수 있도록 한다.
- 일정 시간 연습한 후에 짝 활동이나 팀 활동으로 발표를 해 보도록 한다. 발표의 경우 활동의 특성이나 교실 상황에 따라 유동적으로 운영할 수 있으나 가능한 많은 학습자들이 참여할 수 있도록 한다.

3) 발음: 기본 교재 하단

- 대화문에서 해당하는 표현을 어떻게 발음하면 좋을지 질문하며 도입한다.
- 예문을 보며 어떻게 발음될지 학습자들에게 먼저 질문한다.
- 목표 항목과 예문을 통해 발음 규칙을 설명한다.
- 예문을 들으며 발음을 확인한다.
- 학습자들에게 예문을 읽게 하여 발음을 정확히 하는지 확인한다.
- 학습자의 발음이 틀리는 경우 교정해 준다.

활동 2

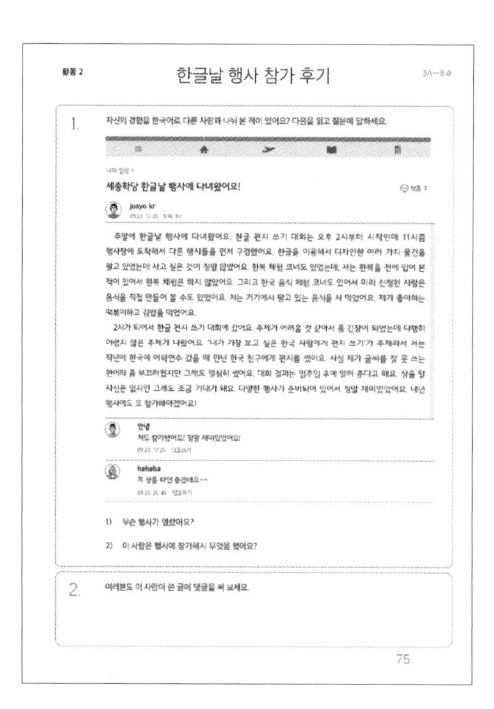

활동 2

한글날 행사 참가 후기

1. 자신의 경험을 한국어로 다른 사람과 나눠 본 적이 있어요? 다음을 읽고 질문에 답하세요.

나의 일상 >

세종학당 한글날 행사에 다녀왔어요!

joayo.kr

주말에 한글날 행사에 다녀왔어요. 한글 편지 쓰기 대회는 오후 2시부터 시작인데 11시쯤 행사장에 도착해서 다른 행사들을 먼저 구경했어요. 한글을 이용해서 디자인한 여러 가지 물건을 팔고 있었는데 사고 싶은 것이 정말 많았어요. 한복 체험 코너도 있었는데, 저는 한복을 전에 입어 본 적이 있어서 한복 체험은 하지 않았어요. 그리고 한국 음식 체험 코너도 있어서 미리 신청한 사람은 음식을 직접 만들어 볼 수도 있었어요. 저는 거기에서 팔고 있는 음식을 사 먹었어요. 제가 좋아하는 떡볶이하고 김밥을 먹었어요.

2시가 되어서 한글 편지 쓰기 대회에 갔어요. 주제가 어려울 것 같아서 좀 긴장이 되었는데 다행히 어렵지 않은 주제가 나왔어요. '내가 가장 보고 싶은 한국 사람에게 편지 쓰기'가 주제라서 저는 작년에 한국에 어학연수 갔을 때 만난 한국 친구에게 편지를 썼어요. 사실 제가 글씨를 잘 못 쓰는 편이라 좀 부끄러웠지만 그래도 열심히 썼어요. 대회 결과는 일주일 후에 알려 준다고 해요. 상을 탈 자신은 없지만 그래도 조금 기대가 돼요. 다양한 행사가 준비되어 있어서 정말 재미있었어요. 내년 행사에도 또 참가해야겠어요!

안녕
저도 참가했어요! 정말 재미있었어요!

hahaha
꼭 상을 타면 좋겠네요~~

1) 무슨 행사가 열렸어요?

2) 이 사람은 행사에 참가해서 무엇을 했어요?

2. 여러분도 이 사람이 쓴 글에 댓글을 써 보세요.

75

[기본 교재]의 '활동 2'는 '읽기, 쓰기'에 초점을 두었다.

1번 지시문은 해당 주제와 관련된 도입 질문으로 활용할 수 있다. 읽기 지문 다음에는 읽은 내용에 대한 이해 확인 질문을 두었다. 1번에서 제시된 읽기 지문은 쓰기의 모범 글로서 활용할 수 있도록 하였다.

2번에서는 읽은 내용을 바탕으로 자신의 이야기를 쓸 수 있도록 하였다.

쓰기 활동 부분은 학습자의 언어 수준, 요구 등을 고려해 시간 배분을 할 필요가 있다. 가능하면 수업 시간에 할 것을 권장하나 과제로 제시할 수도 있다.

+읽고 말하기

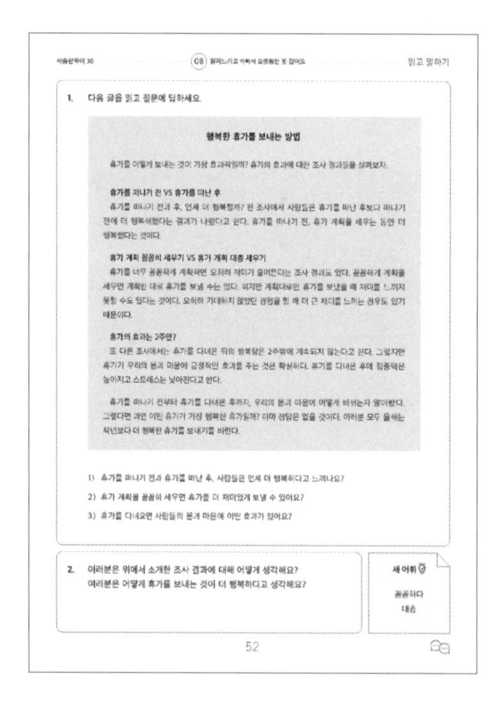

세종한국어 3B · 08 · 읽고 말하기

1. 다음 글을 읽고 질문에 답하세요.

행복한 휴가를 보내는 방법

휴가를 어떻게 보내는 것이 가장 효과적일까? 휴가의 효과에 대한 조사 결과들을 살펴보자.

휴가를 떠나기 전 VS 휴가를 떠난 후

휴가를 떠나기 전과 후, 언제 더 행복할까? 한 조사에서 사람들은 휴가를 떠난 후보다 떠나기 전에 더 행복해했다는 결과가 나왔다고 한다. 휴가를 떠나기 전, 휴가 계획을 세우는 동안 더 행복했다는 것이다.

휴가 계획 꼼꼼히 세우기 VS 휴가 계획 대충 세우기

휴가를 너무 꼼꼼하게 계획하면 오히려 재미가 줄어든다는 조사 결과도 있다. 꼼꼼하게 계획을 세우면 계획한 대로 휴가를 보낼 수는 있다. 하지만 계획대로만 휴가를 보냈을 때 재미를 느끼지 못할 수도 있다는 것이다. 오히려 기대하지 않았던 경험을 할 때 더 큰 재미를 느끼는 경우도 있기 때문이다.

휴가의 효과는 2주만?

또 다른 조사에서는 휴가를 다녀온 뒤의 행복감은 2주밖에 계속되지 않는다고 한다. 그렇지만 휴가가 우리의 몸과 마음에 긍정적인 효과를 주는 것은 확실하다. 휴가를 다녀온 후에 집중력은 높아지고 스트레스는 낮아진다고 한다.

휴가를 떠나기 전부터 휴가를 다녀온 후까지, 우리의 몸과 마음이 어떻게 바뀌는지 알아봤다. 그렇다면 과연 어떤 휴가가 가장 행복한 휴가일까? 아마 정답은 없을 것이다. 여러분 모두 올해는 작년보다 더 행복한 휴가를 보내기를 바란다.

1) 휴가를 떠나기 전과 휴가를 떠난 후, 사람들은 언제 더 행복하다고 느끼나요?

2) 휴가 계획을 꼼꼼히 세우면 휴가를 더 재미있게 보낼 수 있어요?

3) 휴가를 다녀오면 사람들의 몸과 마음에 어떤 효과가 있어요?

2. 여러분은 위에서 소개한 조사 결과에 대해 어떻게 생각해요?
여러분은 어떻게 휴가를 보내는 것이 더 행복하다고 생각해요?

새 어휘

꼼꼼하다
대충

52

[더하기 활동 교재]의 '읽고 말하기'는 [기본 교재]에서 배운 '활동 2'의 연장이다.

1번에서는 [기본 교재]의 읽기와는 다소 차별화된 지문을 제시하였고 실생활 자료를 적극적으로 제시하고자 하였다. 이해 확인 질문을 통해 읽기 이해 활동이 가능하도록 하였다.

2번은 읽은 내용을 바탕으로 자신의 이야기를 할 수 있도록 하였다. 학습 상황에 따라 말하기 후 활동으로 말한 내용을 쓰게 하여 더 많은 시간을 배분할 수도 있다.

1) 읽기: 기본 교재 1번, 더하기 활동 교재 1번

- 학습자들과 함께 페이지 상단의 제목을 읽어 보고 어떤 주제에 대해 읽고 쓸지 간단하게 이야기해 본다. 이때 해당 주제에 대해 학습자들의 개인적인 경험을 질문해 볼 수 있다.
- 지시문을 읽는다. 텍스트의 참여자가 누구이고 상황이 어떠한지를 질문을 통해 확인한다.
- 문제를 읽어 본다. 제시된 삽화가 있을 때에는 학습자들에게 삽화와 관련하여 간단하게 질문해 본다.
- 텍스트를 소리 내어 함께 읽는다.
- 학습자 스스로 텍스트를 읽고 문제를 풀어 볼 수 있는 시간을 준다.
- 학습자들이 동료 학습자들과 답을 맞춰 보게 한다.
- 학습자들에게 질문을 던져 학습자들이 이해하고 있는지 파악한다.
- 학습자들에게 텍스트를 읽게 하거나 교사가 텍스트를 읽으면서 해당 의미를 설명한다.
- 이해하지 못한 부분이 있는지 질문을 하고 이해 정도를 확인한다.

2) 쓰기: 기본 교재 2번, 더하기 활동 교재 2번

- 읽기 내용을 참고하여 쓰기 활동이 이루어질 수 있도록 한다. 쓰기 주제를 먼저 설명하도록 한다. 그리고 쓰기에 필요한 내용이 무엇인지, 어떤 순서로 내용을 쓰면 좋을지 질문을 통해 이끌어 낸 후 간단하게 설명한다.
- 학습자들이 쓸 정보를 메모하고 실제로 쓸 수 있는 시간을 준다.
- 학습자들이 쓰기 활동을 하는 동안 교사는 학습자의 글을 교정해 준다. 이때 맞춤법, 문장 구조 등을 수정해 준다.
- 쓰기 활동이 끝난 후에는 동료 학습자들과 바꾸어 읽거나 발표를 해 보도록 한다. 각 분반의 상황에 맞추어 모든 학습자들이 발표를 해 볼 수도 있고, 원하는 학습자 몇 명 정도만 발표해 볼 수도 있다. 이외에도 다양한 방법을 통해 학습자들이 다른 학습자들의 글을 접해 보고 다양한 글쓰기 방법에 대해 자연스럽게 터득할 수 있도록 한다.

마무리

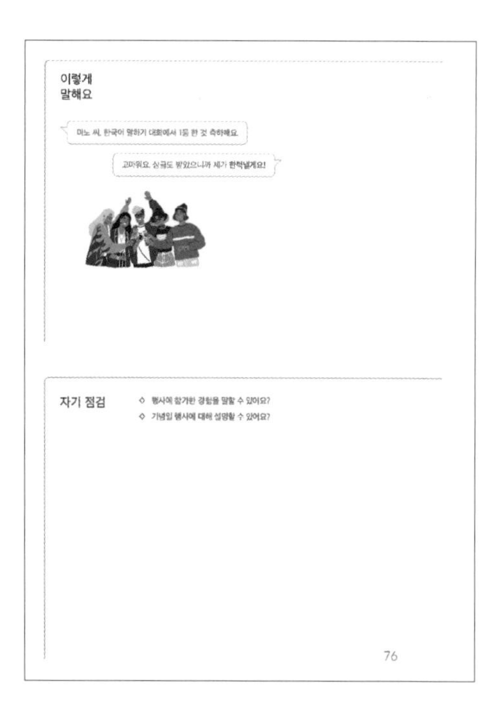
이렇게 말해요

미노 씨, 한국어 말하기 대회에서 1등 한 것 축하해요.

고마워요. 상금도 받았으니까 제가 한턱낼게요!

자기 점검

◇ 행사에 참가한 경험을 말할 수 있어요?

◇ 기념일 행사에 대해 설명할 수 있어요?

76

[기본 교재]의 마무리는 한 단원을 모두 배운 마지막에 이루어지는 활동이다.

'이렇게 말해요'에서 현대 한국 사회에서 사용되고 있는 다양한 구어 표현을 제시하였다.

'자기 점검'에서는 해당 단원에서 배운 주제와 기능에 대한 질문을 두어 학습자가 성취한 수준을 확인하고 점검하도록 하였다. '자기 점검'이 형식적인 행위가 되지 않도록 학습자가 직접 배운 주제와 기능에 대해 말해 보게 하는 활동 수행을 권장한다.

기본 교재

- 단원에서 무엇을 배웠는지 질문을 통해서 확인한다. 주제에 대한 대화문을 유도하면 좋다. 이후에 '어휘와 표현', '문법' 중에 어떤 것을 배웠고 기억이 나는 내용이 무엇인지 질문한다.
- 교재를 보면서 정확히 의미를 알고 있는 '어휘와 표현', '문법'에 표시를 하게 할 수 있다.
- 학습자들에게 '자기 점검'의 질문을 보고 스스로 학습한 바를 점검하게 한다.
- 교수자는 학습자들이 학습한 바 또는 이후에 추가 학습할 것을 격려한다.

2부

단원별 내용

그동안 어떻게 지냈니?

어휘와 표현	안부 인사	15쪽

□ **어휘 제시**

- '안부 인사'와 관련된 다양한 표현을 제시하였다.
- 제시된 어휘들은 크게 두 종류로 분류할 수 있다. 하나는 오랜만에 만난 친구에게 바로 건넬 수 있는 인사 표현이고, 다른 하나는 그동안 어떻게 지냈는지 묻는 질문에 대한 답이다.
  오랜만에 만난 두 친구의 사진을 제시하며 어떻게 인사할지, 그 질문에 어떤 답을 할 수 있을지 학습자와 이야기하면서 자연스러운 상황 맥락 안에서 목표 표현을 제시한다.

1) 오랜만에 친구를 만났을 때 건네는 인사 표현들을 사진과 함께 제시하며 의미를 설명한다. 방학이 끝난 후에 친구를 만났을 때, 길에서 우연히 옛날 친구를 만났을 때와 같은 상황 맥락을 함께 제시하며 목표 표현을 설명한다.
2) '그동안 어떻게 지냈는지' 질문에 대한 답으로 사용할 수 있는 다양한 표현을 어울리는 사진 자료와 함께 제시한다. 예를 들면, 아주 바빠 보이는 사람의 사진을 제시하면서 '이 친구는 그동안 어떻게 지냈어요?' 질문을 던진 후, 여러 표현 중에서 '정신 없이 지냈어요'가 대답으로 나오도록 유도한다.

목표 표현의 의미를 익힌 후 학습자는 교사가 읽는 목표 표현들을 하나씩 따라 읽는다.

□ **어휘 연습 및 활용**

- 어휘 학습이 끝나면 [기본 교재] 2번과 3번 문제를 확인한다. 2번은 그림을 보고 적절한 표현을 쓰는 활동으로, 앞서 학습한 표현들의 의미를 확인할 수 있다. 3번은 말하기 활동으로, 배운 표현을 활용해 안부 인사를 직접 해 봄으로써 단원 주제인 '안부 인사'를 직접 연습해 볼 수 있다. 교사는 3번이 유의적 활동이 되도록 학습자에게 적절한 피드백을 제공하고 잘하는 팀은 발표를 시킬 수 있다.
- [기본 교재]의 쓰기와 말하기 활동이 끝나면 [더하기 활동 교재] 활동을 이어 할 수도 있다. 여기에서는 헤어질 때 자주 사용하는 표현까지 확장할 수 있다. 하단에 제시되어 있는 새 어휘들의 의미를 학습한 후에 어휘장을 통한 단어 연습이나 문장 단위 쓰기 연습을 통해 지식 강화 훈련을 하면 된다.

문법 1	-니?, -자	16쪽

※ 이 문법은 형태 변화 및 제약이 비교적 단순하여 문법 2에 비해 교수·학습 시간을 짧게 구성할 수 있다.

□ **문법 도입**

- 교재의 삽화 이용
  교재의 삽화를 이용하여 목표 문법을 제시한다.
  예 방학이 끝난 후 오랜만에 두 사람이 만났어요. 한 사람은 선배, 한 사람은 후배예요. 어떻게 인사할까요? '그동안 어떻게 지냈니?', '방학 때 뭐 하고 지냈니?' 선배는 이렇게 '-니?'를 사용해서 질문할 수 있어요. 나이가 많은 사람이 나이가 어린 사람한테, 친한 친구끼리 '-니?'를 사용해서 질문할 수 있어요.
- 교재에 제시된 예문 이용
  삽화에 사용된 예문을 제외한 나머지 두 개의 예문을 이용하여 질문하고 학습자가 목표 문법을 사용하여 대답할 수 있도록 유도한다.
  예 친구하고 같이 공부를 하고 싶어요. 친구에게 어떻게 말해요?

□ **문법 '-니?' 설명**

- 의미: 아랫사람 또는 친구와 같이 친한 사이에서 질문을 할 때 사용한다.
- 예문: 유진, 어디 가니?
  그 책이 재미있니?
  숙제했니?
- 제약
  ① '-니?'는 친한 동년배나 친한 아랫사람에게만 사용할 수 있다. 윗사람에게는 아무리 친한 사이라도 '-니?'를 사용할 수 없다. 즉 "밥 먹었어?"는 친한 윗사람에게도 사용할 수 있으나 "밥 먹었니?"는 윗사람에게 사용하지 않는다. 주로 구어에서 사용한다.
  ② 동사 및 형용사 어간 끝음절이 'ㄹ' 받침으로 끝나면 'ㄹ'이 탈락하고 '-니'를 쓴다.
  예 어디에 사니?
  유진이 전화번호 아니?

③ 'ㄹ'을 제외한 받침 있는 형용사 어간 뒤에서 '-으니'로도 나타날 수 있다.

예 마리가 그렇게 좋니? (○)
마리가 그렇게 좋으니? (○)

- 확장
공손함의 정도와 상대에 따라 '-(으)세요?' > '-아/어/여요?' > '-아/어/여?' > '-니?' 순으로 사용할 수 있다.
예 어디에 가세요?> 어디에 가요?> 어디에 가?> 어디에 가니?

□ **문법 '-자' 설명**

- 의미: 아랫사람 또는 친구와 같이 친한 사이에서 권유 혹은 제안을 할 때 사용한다.
- 예문: 안나, 우리 일곱 시에 만나자.
민수야, 밥 먹자.
오늘은 공부하지 말자.
- 제약
① '-자'는 친한 동년배나 친한 아랫사람에게만 사용할 수 있다. 윗사람에게는 친한 사이라도 '-자'를 사용하는 것은 적절하지 않다. 즉 "같이 가자."는 윗사람에게 사용하지 않는다. 그리고 구어에서 사용한다.
② 동사와만 함께 사용한다. '-자'는 원칙적으로 형용사와 함께 사용하지 않지만 '침착하자, 성실하자' 등 주로 의지를 가지고 행동하려는 상황에서는 형용사와 함께 쓸 수 있다.
예 예쁘자. (×)
이제 침착하자. (○)
③ '오다'는 '-자'와 함께 사용할 수 없다.
- 확장
① 논문이나 보고서 등의 글에서 '-자'는 어떤 행동이나 방향에 대해 앞으로 그렇게 할 것임을 미리 알려 주는 기능으로도 사용한다.
예 이 장에서는 한국의 발효 음식에 대해 살펴보자.
이제 세계 여러 나라의 발효 음식에 대해 살펴보자.
② '-자'는 혼잣말의 경우, 일부 동사와 결합하여 말하는 사람의 다짐, 결심을 나타내거나 혼자 생각하고 있음을 나타내기도 한다.
예 어디 보자. 오늘 숙제가 뭐였지?
그래 한번 해 보자.

문법 2	-아/어 보이다	17쪽

□ **문법 도입**

- 교재의 삽화 이용
교재의 삽화를 이용하여 목표 문법을 제시한다.
예 이 남자가 떡볶이를 만들었어요. 떡볶이 맛이 어떨 것 같아요? 맛있을 것 같아요. 맛있어 보여요. 우리는 아직 안 먹어서 맛을 모르지만 맛있을 것 같아요. 이렇게 겉으로 보이는 모습을 보고 추측하면서 말할 때 '-아/어 보여요'라고 해요.
- 교재에 제시된 예문 이용
삽화에 사용된 예문을 제외한 나머지 두 개의 예문을 이용하여 질문하고 학습자가 목표 문법을 사용하여 대답할 수 있도록 유도한다.
예 (아주 바빠 보이는 사람의 사진을 보여 주면서) 이 사람이 지금 어때 보여요?
(친절하게 가르쳐 주는 선생님 사진을 보여 주면서) 이 선생님은 어때 보여요?

□ **문법 설명**

- 의미: 말하는 사람이 어떤 대상에 대해 짐작하거나 추측할 때 사용한다.
- 예문: 오늘 기분이 좋아 보여요.
옷이 좀 커 보여요.
피곤해 보여요.
- 제약
① 형용사와만 함께 사용한다.
- 확장
'-(으)ㄴ 것 같다'는 말하는 사람이 직접 보지 못한 대상에 대해서도 사용할 수 있지만 '-아/어 보이다'는 말하는 사람이 직접 보지 못한 것에 대해서는 사용할 수 없다. (인용, 추측은 제외)
예 민호가 오늘 학교에 안 왔어요. 아마 아픈 것 같아요. (○)
민호가 오늘 학교에 안 왔어요. 아파 보여요. (×)

활동	18~19쪽

□ [기본 교재] 활동 1은 안부 인사에 대한 듣기 활동이고 활동 2는 대학생들의 방학 활동 및 방학에 하고 싶은 일에 대한 설문 조사 결과를 보고 관련 핵심 정보를 찾는 읽기 활동이다. 3단계 1단원 내용으로 오랜만에 만난 친구들이 자연스럽게 서로의 안부를 묻고 방학 활동에 대해 자유롭게 대화하도록 한다.

□ [기본 교재]의 듣기 활동을 한 후 [더하기 활동 교재]의 듣기 활동을 하며 안부 인사와 관련된 목표 문법과 표현을 확장할 수 있다. [기본 교재] 읽기 활동을 마친 후 [더하기 활동 교재] '한국인의 나이 문화'에 대한 읽기 텍스트를 읽고 한국인의 언어 생활에 대한 이해를 바탕으로 문화 비교 활동을 이어 할 수 있다.

□ 1단원에서 배운 반말과 표현을 충분히 활용하여 오랫동안 만나지 못한 친구에게 안부를 묻고 근황을 전하는 편지 쓰기 활동을 한다.

이렇게 말해요	그냥저냥	20쪽

□ '그냥저냥'은 특별한 일 없이 '그저 그렇게', '그런대로'의 의미를 가진 단어로 안부 인사를 할 때 자주 사용한다. '살다, 지내다, 보내다'와 같은 동사와 자주 사용하고 '그냥 그래요', '그저 그래요'와 같은 표현과 바꿔 쓸 수 있다.

□ **한국 문화**

가족 호칭과 관련된 한국 문화를 소개한다.

예 누구를 이름으로 부를 수 있을까요?
길에서 만난 모르는 노인을 어떻게 부를까요?

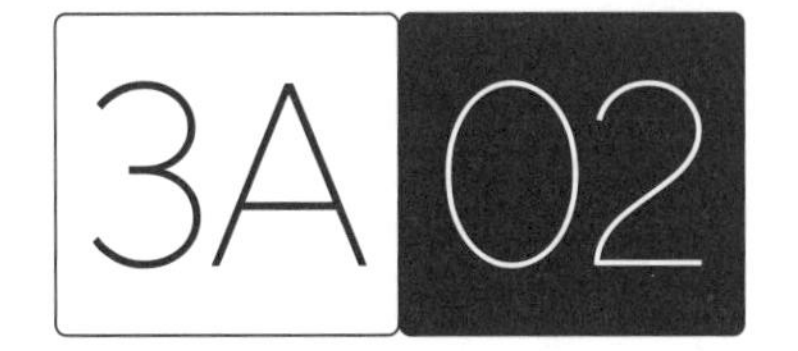

요즘 좀 바쁘다고 해

어휘와 표현	근황과 소식	23쪽

□ **어휘 제시**

- '근황과 소식'과 관련된 어휘와 표현을 제시하고 있다.
- 제시된 어휘들은 크게 '학교생활, 회사 생활, 결혼'과 관련된 '근황과 소식'으로 분류할 수 있다.

제시된 어휘들은 오랜만에 만난 친구에게 전할 수 있는 '학교생활, 회사 생활, 결혼'과 관련된 '근황과 소식' 어휘들이다. 이들 어휘는 스토리텔링 형식으로 표현을 제시할 수 있다. 각각의 인물을 정해 그 사람이 처한 상황을 제시된 어휘의 상황에 맞게 이야기를 꾸며 제시한다.

1) 학교생활과 관련된 표현들은 학교에 입학을 하고 학교생활에서 일어날 수 있는 다양한 상황들을 시간의 흐름과 상황에 따라 설명한다.
2) 회사 생활과 관련된 표현들은 취업을 준비하는 과정부터 회사에 근무를 하면서 일어날 수 있는 다양한 상황들을 거쳐 퇴사를 하기까지의 과정을 순서에 맞게 상황을 고려하여 제시 및 설명한다.
3) 결혼과 관련된 표현들은 결혼을 하기 전과 후에 일어날 수 있는 상황을 중심으로 설명한다.

위의 분류에 따라 각 목표 표현을 제시 및 설명하고, 한 개인의 일생을 시간의 흐름에 따라 전체적으로 정리해 볼 수 있다.

□ **어휘 연습 및 활용**

- 어휘 학습이 끝나면 [기본 교재] 2번과 3번 문제를 확인한다. 2번은 제시된 자료를 보고 적절한 표현을 사용하여 문장을 완성하는 활동으로, 앞서 학습한 어휘들의 의미를 확인할 수 있다.

3번은 말하기 활동으로 '오랜만에 만난 사람들에게 소식 전하기'를 해 봄으로써 단원의 주제인 '근황과 소식'에 대해 생각해 볼 수 있다.

- [기본 교재]의 쓰기와 말하기 활동이 끝나면 [더하기 활동 교재] 활동을 이어 할 수도 있다. 하단에 제시되어 있는 새 어휘들의 의미를 학습한 후에 더 다양한 상황에 어휘들을 적용하는 연습을 통해 지식 강화 훈련을 하면 된다.

문법 1	-는다고/ㄴ다고/다고 하다	24쪽

※ 이 문법은 사용 빈도와 중요도가 높은 항목이나, 형태 변화 및 제약이 비교적 단순하여 교수·학습 시간을 짧게 구성할 수 있다.

□ **문법 도입**

- 교재의 삽화 이용
  교재에 제시된 삽화를 이용하여 질문하고 학습자가 목표 문법을 사용하여 대답할 수 있도록 유도한다.
  ㉮ 민수 씨에게 무슨 일이 있어요?
- 교사와 학습자의 발화 이용
  교사가 학습자에게 질문을 하고, 그 학습자의 대답에 대해 전체 학습자에게 질문을 한다.
  ㉮ ○○ 씨, 오늘 밥을 먹었어요? 뭐 먹었어요? 여러분, ○○ 씨가 조금 전에 뭐라고 말했어요? 오늘 아침에 빵을 먹었다고 했어요.
- 교재에 제시된 예문 이용
  삽화에 사용된 예문을 제외한 나머지 두 개의 예문을 이용하여 질문하고 학습자가 목표 예문을 사용하여 대답할 수 있도록 유도한다.
  ㉮ 수지 씨에게 어떤 좋은 소식이 있어요?

□ **문법 설명**

- 의미: 다른 사람에게서 들은 말을 전달할 때 사용한다.
- 예문 및 제약
  ① '-는다고/ㄴ다고/다고 하다'는 동사나 형용사와 함께 사용한다.
  ㉮ 유진 씨가 지금은 매운 음식을 잘 먹는다고 해요.
  안나 씨가 수업 끝나고 도서관에 간다고 해요.
  수지 씨가 시험에 합격해서 요즘 기분이 좋다고 해요.
  ② '이다'의 경우 '-(이)라고 하다'를 사용한다.
  ㉮ 저 분이 한국어 선생님이라고 해요.

문법 2	-나/(으)ㄴ가 보다	25쪽

※ 이 문법은 사용 빈도와 중요도가 높은 항목이므로 첫 번째 문법 항목에 비해 교수·학습 시간이 더 필요할 수 있다.

□ **문법 도입**

- 교재의 삽화 이용
  교재의 삽화를 이용하여 목표 문법을 제시한다.
  ㉮ 이 사람은 이번 학기에 리사 씨를 한 번도 못 봤어요. 왜 리사 씨를 못 봤다고 생각해요? 리사 씨가 휴학을 했어요. 그래서 한 번도 못 봤다고 생각해요. 그럴 때 어떻게 말하면 될까요? 이때 '-나/(으)ㄴ가 보다'를 써요. 리사 씨가 휴학을 했나 봐요. 이번 학기에 한 번도 못 봤어요.
- 교재에 제시된 예문 이용
  삽화에 사용된 예문을 제외한 나머지 두 개의 예문의 상황을 이용하여 질문하고 학습자가 목표 문법을 사용하여 대답할 수 있도록 유도한다.
  ㉮ 진 씨가 요즘 표정이 계속 좋지 않아요. 장학금을 못 받았어요. 진 씨가 어떻다고 말할 수 있을까요?
  마리 씨와 재민 씨는 같이 다니고, 이야기도 많이 해요. 두 사람은 어떻다고 말할 수 있을까요?

□ **문법 설명**

- 의미: 어떤 사실이나 상황을 보거나 들은 내용으로 추측해서 이야기할 때 사용한다. 추측의 근거가 있는 경우에 사용한다.
- 예문 및 제약
  ① '-나 보다'는 동사, '있다/없다'와 함께 사용한다.
  ㉮ 리사 씨는 정말 열심히 공부를 하나 봐요.
  민수 씨가 급한 일이 있나 봐요.
  ② '-(으)ㄴ가 보다'는 형용사, '이다/아니다'와 함께 사용한다.
  ㉮ 요즘 많이 바쁜가 봐요.
  고민이 많은가 봐요.
  동생은 아직 학생인가 봐요.
  ③ 형용사에 '-었-'이 결합된 경우 '-나 보다', '-(으)ㄴ가 보다'를 모두 쓸 수 있다.
  ㉮ 요즘 많이 바빴나 봐요./요즘 많이 바빴는가 봐요.
  ④ 1인칭 주어와는 함께 사용하지 않는다.
  ㉮ 저는 정말 열심히 공부를 하나 봐요. (×)
  우리는 지금 배가 고픈가 봐요. (×)

활동	26~27쪽

□ [기본 교재] 활동 1은 오래 소식을 듣지 못한 친구의 소식에 대해 전해 듣는 듣기 활동이고, 활동 2는 친구에게 소식을 묻고 전하는 메일을 읽는 읽기 활동이다. 듣기 활동을 통해 오랜만에 친구의

소식을 듣거나 전하는 상황을 생각해 보고 읽기 활동을 통해 친구에게 어떻게 소식을 전할 수 있는지 확인할 수 있다.

□ [기본 교재]의 듣기와 읽기 활동이 끝나면 [더하기 활동 교재]의 '읽고 말하기'를 연계하여 학습한다. SNS을 통해 소식을 전하는 내용으로 소식을 전할 수 있는 다양한 방식에 대해 이해할 수 있다. 이러한 연계 활동을 바탕으로 '자신이 보거나 들은 소식을 친구에게 전하는' 말하기 활동을 진행할 수 있다.

□ [더하기 활동 교재]에는 근황과 소식과 관련된 활동이 제시되어 있다. '듣기'에서는 [기본 교재]의 활동 1, 활동 2와 연결되는 이야기로 전체 단원의 상황을 스토리텔링의 형식으로 이해할 수 있고, 오래 연락이 되지 않은 친구에 대한 라디오 사연을 들어볼 수 있다. 전체 단원을 정리하는 활동으로 '우리 반 신문 만들기' 활동을 진행할 수 있다.

이렇게 말해요	무소식이 희소식	28쪽

□ '무소식이 희소식'은 소식이 없는 것이 곧 좋은 소식이라는 말이다. 떨어져서 지내는 경우 대부분 잘 지내고 있을 때는 연락을 하지 않지만, 어떤 문제나 일이 생기면 연락을 하기 때문이다. 그리운 사람에게 오래도록 연락이 없을 때 걱정스러운 마음을 스스로 위로하기 위해 이런 생각을 한다.

□ **한국 문화**

최근 소식을 전하는 다양한 방법에 대해 소개한다.

예 영상 통화, 에스엔에스(SNS), 블로그 등

이번에 이사를 할까 해요

어휘와 표현	이사	31쪽

□ **어휘 제시**

- '이사'와 관련된 어휘와 표현을 제시하고 있다.
- 상단에는 이사와 관련된 명사로 구성되어 있고, 하단에는 이사 및 집과 관련된 표현들로 구성되어 있다.

1) 이사를 준비할 때 사용할 수 있는 필수 어휘들이 제시되어 있다. 학습자에게 스토리텔링하듯이 어휘의 의미를 전달할 수 있다.

예 집을 구할 때 가장 먼저 '부동산'에 가서 집을 알아보고 '계약'을 한다. 이때 '월세'와 '보증금'에 대한 이야기도 나눈다. '계약'이 끝나면 '이삿날'을 정하고 '이삿짐 센터'를 계약한다.

2) 제시된 어휘들은 크게 두 종류로 분류할 수 있다. 하나는 '이사'와 관련된 표현이고, 다른 하나는 '살고 싶은 집의 조건'이다. 이사와 관련된 여러 표현들이 이사 순서에 맞게 제시되어 있다. 이사를 하려면 우선 '이삿짐'을 '싸'야 한다. 그래서 처음에는 '이삿짐'과 연어 관계를 이루는 다양한 표현들이 제시되어 있다. 스토리텔링하듯이 표현들을 제시하면 된다.

예 '이삿짐을 싸다-나르다-풀다-정리하다'의 제시 순서는 이삿짐을 싸고 정리하는 순서와 일치한다. 이사를 하면 가장 먼저 이삿짐을 싸고 이사할 집으로 이삿짐을 나르고 이사가 끝나면 이삿짐을 풀고 정리한다. 이삿짐 정리가 끝나면 가족이나 친구들을 '집으로 초대해'서 '집들이'를 한다.

마지막 어휘 세 개는 '살고 싶은 집의 조건'에 대해 이야기할 때 사용 가능한 표현들이다. 학습자에게 어떤 집에서 살고 싶은지 질문을 던진 후 '시장이 가깝다'거나 '교통이 편리하다'와 같은 목표한 표현들이 대답으로 나오도록 유도하면 된다.

□ 어휘 연습 및 활용

- 어휘 학습이 끝나면 [기본 교재] 2번과 3번 문제를 확인한다. 2번은 그림을 보고 적절한 어휘를 쓰는 활동으로, 앞서 학습한 어휘들의 의미를 확인할 수 있다. 3번은 말하기 활동으로 '살고 싶은 집'에 대해 이야기해 봄으로써 단원 주제인 '이사'에 대해 생각해 볼 수 있다.
- [기본 교재]의 쓰기와 말하기 활동이 끝나면 [더하기 활동 교재] 활동을 이어 할 수도 있다. 하단에 제시되어 있는 새 어휘들의 의미를 학습한 후에 어휘장을 통한 단어 연습이나 문장 단위 쓰기 연습을 통해 지식 강화 훈련을 하면 된다.

문법 1	-(으)ㄹ까 하다	32쪽

※ 이 문법은 사용 빈도와 중요도가 높은 항목이므로 문법 2 항목에 비해 교수·학습 시간이 더 필요할 수 있다.

□ 문법 도입

- 교재의 삽화 이용
  교재의 삽화를 이용하여 목표 문법을 제시한다.
  예 친구가 나에게 영화를 보자고 했어요. 그런데 나는 오늘 좀 피곤해요. 집에서 쉬고 싶어요. 이런 내 생각을 친구에게 어떻게 말하면 될까요? '-(으)ㄹ까 하다'를 쓰면 돼요. 오늘 피곤해서 집에서 쉴까 해요. 이렇게 말하면 돼요.
- 교재에 제시된 예문 이용
  삽화에 사용된 예문을 제외한 나머지 두 개의 예문을 이용하여 질문하고 학습자가 목표 문법을 사용하여 대답할 수 있도록 유도한다.
  예 여러분, 이번 주말에 뭐 할 거예요? 내일은 뭐 입을 거예요?

□ 문법 설명

- 의미: 말하는 사람의 의도를 나타내거나 바뀔 수 있는 계획을 말할 때 사용한다.
- 예문: 방학에 학교 근처로 이사를 갈까 해요.
  부모님 선물로 시계를 살까 해요.
  졸업하면 한국으로 유학 갈까 해요.
- 제약
  ① '-(으)ㄹ까 하다'는 말하는 사람의 계획이나 의도를 나타내기 때문에 명령이나 청유에 사용할 수 없다.
  예 저녁에 배가 고프면 라면을 먹을까 해라. (×)
  부모님 선물로 시계를 살까 하자. (×)
  ② '-(으)ㄹ까 하다'는 '-(으)ㄹ까 보다', '-(으)ㄹ까 싶다'로 바꾸어 사용할 수 있다.
  예 졸업하면 회사에 취직할까 해요. = 졸업하면 회사에 취직할까 봐요. = 졸업하면 회사에 취직할까 싶어요.
- 확장
  말하는 사람의 의지를 나타내는 문법으로 '-(으)ㄹ 거예요', '-(으)려고 해요'도 있다. 의지의 강한 정도는 '-(으)ㄹ 거예요> -(으)려고 해요> -(으)ㄹ까 해요' 순이다.
  예 주말에 운동할 거예요.> 주말에 운동하려고 해요.> 주말에 운동할까 해요.

문법 2	-지만 않으면	33쪽

※ 이 문법은 형태 변화 및 제약이 비교적 단순하여 문법 1 항목에 비해 교수·학습 시간을 짧게 구성할 수 있다.

□ 문법 도입

- 교재의 삽화 이용
  교재의 삽화를 이용하여 목표 문법을 제시한다.
  예 이 여자는 어떤 영화를 안 좋아해요? 네 맞아요. 무서운 영화를 안 좋아해요. 나는 다른 영화는 괜찮은데 무서운 영화는 보고 싶지 않다, 친구에게 이렇게 말하고 싶어요. 어떻게 말하면 좋을까요? 이때 '-지만 않으면'을 이용할 수 있어요. '무섭지만 않으면 괜찮아요.'라고 말하면 돼요.
- 교재에 제시된 예문 이용
  삽화에 사용된 예문을 제외한 나머지 두 개의 예문을 이용하여 질문하고 학습자가 목표 문법을 사용하여 대답할 수 있도록 유도한다.
  예 어떤 집을 찾고 있어요? 어떤 집에서 살고 싶지 않아요?
  야외 공연을 할 수 있는 조건은 뭐예요? 야외 공연을 못하게 만드는 조건에는 뭐가 있어요?

□ 문법 설명

- 의미: 말하는 사람이 어떤 일에서 원하지 않는 상황이나 조건을 제외할 때 사용한다. 보통 그 하나만 빼면 괜찮다고 생각할 때 '-지만 않으면'을 쓴다.
- 예문 및 제약
  ① '-지만 않으면'은 동사나 형용사와 함께 사용한다.
  예 학교에서 멀지만 않으면 갈 수 있어요.
  운동을 하지만 않으면 시간이 많아요.
  ② 명사일 경우 '-만 아니면'을 사용한다.
  예 지은 지 오래된 집만 아니면 괜찮아요.
  시험만 아니면 같이 등산 갈 수 있는데 못 가서 미안해요.

활동	34~35쪽

□ [기본 교재] 활동 1은 살고 싶은 집의 조건에 대한 듣기 활동이고, 활동 2는 집을 광고하는 여러 광고문을 보고 원하는 집을 찾는 읽기 활동이다. 듣기 활동을 통해 살고 싶은 집의 조건에 대해 생각해 보고, 읽기 활동을 통해 집을 구할 때의 조건들에는 어떠한 것이 있는지 확인할 수 있다.

□ [기본 교재]의 듣기와 읽기 활동이 끝나면 [더하기 활동 교재]의 '읽고 말하기' 2번을 연계하여 학습한다. '읽고 말하기' 2번은 '이사하고 싶은 이유'에 대한 설문 조사 결과를 보고 말하는 활동인데 이는 [기본 교재]의 듣기와 읽기 활동 주제인 '살고 싶은 집'과 맥락이 같다. 이렇게 설문 조사 결과를 눈으로 확인하면서 자신의 생각을 정리한 후에 '살고 싶은 집'에 대한 '쓰기' 활동을 하면 글감 준비도 자연스럽게 이루어진다.

□ [더하기 활동 교재]에는 '살고 싶은 집'과 관련된 주제 이외에도 집과 관련된 다양한 주제들이 활동으로 구성되어 있다. '듣기'에서는 이사 준비할 때 필요한 도움과 관련된 이야기나 부동산 이용 방법, '읽기'에서는 '한국의 '집들이 문화'에 대해서도 알아볼 수 있다.

이렇게 말해요	원룸	36쪽

□ '원룸'은 한국식 영어 표현인데, 사진 자료 등을 이용하면 의미 전달이 쉽다. 원룸뿐만 아니라 투룸, 쓰리룸 표현이 있다는 것과 한국의 여러 주거 형태(아파트, 주택, 고시원, 오피스텔 등)도 함께 소개한다.

□ **한국 문화**

이사와 관련된 여러 한국 문화를 소개한다.

예 '이사철', '손 없는 날'이나 '이삿날 먹는 음식' 등

나는 거실 청소를 할 테니까 넌 주방 청소를 해 줘

어휘와 표현	집안일	39쪽

□ **어휘 제시**

- '집안일'과 관련된 어휘와 표현들이 제시되어 있다.
- 상단에는 집안일을 할 때 필요한 도구 및 물건 등이 제시되어 있고, 하단에는 집안일을 설명할 때 필요한 구체적인 표현들이 제시되어 있다.

1) 제시된 어휘 이외에도 집안일에 필요한 물건들이 있는지 학습자에게 물어보고 그 어휘도 함께 학습함으로써 학습자의 관심을 유도할 수 있다.

2) 앞서 학습한 명사들을 활용할 수 있는 표현 위주로 제시되어 있다. 특히 이 명사들과 연어 관계를 이루는 동사들이 함께 제시되어 학습자가 이 표현을 하나의 덩어리로 학습할 수 있다. 그리고 이 표현을 기본으로 하여 좀 더 확장하여 가르쳐도 된다. 이때 교사가 여기 제시된 여러 표현들을 구체적인 동작과 함께 보여 주면 학습자가 빠르게 이해할 수 있다.

예 '바닥을 쓸다/닦다'의 경우 교사는 바닥을 쓰는 동작을 보여 주면서 '바닥을 쓸다'라는 표현을 가르친다. 그리고 '바닥을 쓸다'라는 기본 표현에서 '빗자루로 바닥을 쓸다' 처럼 표현을 확장시킨다.

□ **어휘 연습 및 활용**

- 어휘 학습이 끝나면 [기본 교재] 2번과 3번 문제를 확인한다. 2번은 집안일을 묘사하고 있는 그림을 보고 문장으로 쓰는 활동으로, 앞서 학습한 어휘들의 의미를 확인할 수 있다. 3번은 말하기 활동인데 '주말에 하는 집안일'에 대해 이야기해 봄으로써 단원 주제인 '집안일'에 대해 생각해 볼 수 있다.

- [기본 교재]의 쓰기와 말하기 활동이 끝나면 [더하기 활동 교재] 활동을 이어 할 수도 있다. 집안일과 관련된 어휘 및 표현들을 주제별로 분류해 보거나 배운 어휘를 활용한 문장 단위 쓰기 연습을 통해 지식 강화가 가능하다.

문법 1	-고 나서	40쪽

※ 이 문법은 의미가 분명하고 형태 변화 및 제약이 비교적 단순하여 문법 2 항목에 비해 교수·학습 시간을 짧게 구성할 수 있다.

□ 문법 도입

- 교재의 삽화 이용

교재의 삽화를 이용하여 목표 문법을 제시한다.

예 여러분은 아침에 일어나면 뭐 해요? 저는 아침에 일어나면 먼저 이를 닦아요. 이를 닦은 후에 물을 한 잔 마셔요. 저는 아침에 일어나면 이를 닦고 나서 물을 마셔요. 우리 '-(으)ㄴ 후에' 공부했지요? 오늘 배울 문법은 '-(으)ㄴ 후에'와 바꿔 쓸 수 있어요. 그럼 여러분은 아침에 일어나면 뭐 해요?

- 교재에 제시된 예문 이용

삽화에 사용된 예문을 제외한 나머지 두 개의 예문을 이용하여 질문하고 학습자가 목표 문법을 사용하여 대답할 수 있도록 유도한다.

예 여러분, 오늘 친구와 시내에서 밥 먹을 거예요. 밥 먹고 나서 뭐 하고 싶어요?

□ 문법 설명

- 의미: 어떤 행위를 끝낸 다음에 다른 행위를 하거나 어떤 상황이 일어나게 되었음을 나타낸다.
- 예문: 숙제하고 나서 전화드리겠습니다.
  저는 보통 밥을 먹고 나서 차를 한 잔 마셔요.
  쇼핑하고 나서 친구를 만날까 해요.
- 제약

'-고 나서'에는 '-았/었-'이 붙지 않는다. 과거라도 항상 '-고 나서'를 쓴다.

예 어제 밥을 먹었고 나서 (×)
어제 밥을 먹고 났어서 (×)

- 확장

어떤 행위를 하고 시간적으로 뒤에 다른 행위를 함을 나타내는 문법으로 '-(으)ㄴ 후에', '-(으)ㄴ 다음에', '-(으)ㄴ 뒤에'도 있다.

예 운동하고 나서 샤워할 거예요. = 운동한 후에 샤워할 거예요. = 운동한 다음에 샤워할 거예요. = 운동한 뒤에 샤워할 거예요.

문법 2	-(으)ㄹ 테니까	41쪽

※ 이 문법은 사용 빈도와 중요도가 높은 항목이므로 문법 1 항목에 비해 교수·학습 시간이 더 필요할 수 있다.

□ 문법 도입

- 교재의 삽화 이용

교재의 삽화를 이용하여 목표 문법을 제시한다.

예 여러분, 그림을 보세요. 남자와 여자가 지금 무슨 이야기를 하고 있어요? 네, 맞아요. 청소에 대해 이야기하고 있어요. 그런데 혼자 청소해요? 아니에요. 함께 할 거예요. 그래서 여자는 친구에게 이야기해요. 내가 바닥을 닦을게. 너는 설거지 좀 해 줘. 내가 바닥을 닦을 테니까 너는 설거지 좀 해 줘. '-(으)ㄹ 테니까'는 말하는 사람이 자신의 의지를 표현하고 싶을 때 사용할 수 있어요.

- 교재에 제시된 예문 이용

삽화에 사용된 예문을 제외한 나머지 두 개의 예문을 이용하여 질문하고 학습자가 목표 문법을 사용하여 대답할 수 있도록 유도한다.

예 친구가 발표 준비를 아직 다 하지 못해서 걱정하고 있어요. 나는 친구에게 '도와줄게요. 걱정하지 마세요.' 하고 말하고 싶어요. 어떻게 말하면 될까요?

□ 문법 설명

- 의미: 뒤의 내용에 대한 조건으로서 말하는 사람의 어떤 행위나 일에 대한 의지를 나타낼 때 쓴다. 주로 뒤에는 듣는 사람에게 어떻게 하자거나 어떻게 하라는 내용이 온다.
- 예문 및 제약

앞 문장의 주어는 항상 1인칭(나)이고, 뒤 문장의 주어는 항상 2인칭(당신, 너)이다.

예 점심은 제가 살 테니까 같이 식당에 가요.
내가 청소할 테니까 좀 쉬어.
제가 영화표를 예매할 테니까 영화 보러 가요.

- 확장

'-(으)ㄹ 테니까'는 말하는 사람의 강한 추측을 나타낼 때에도 사용할 수 있다. 이 경우 말하는 사람이 주어로 쓰일 수 없고 뒤 문장에는 청유나 명령형 문장이 많이 온다.

예 피곤할 테니까 쉬세요.
차가 막힐 테니까 지하철을 타는 게 어때요?

활동	42~43쪽

□ [기본 교재] 활동 1은 '집안일 나누기'에 대한 듣기 활동이고, 활동 2는 '좋아하는 집안일'에 대한 설문 조사 결과를 보고 집안일에 대한 남녀의 생각 차이를 비교해 보는 읽기 활동이다. 듣기 활

동을 통해 집안일을 다른 사람에게 제안하는 방법을 익힐 수 있고, 읽기 활동을 통해 '집안일'과 관련하여 사람들의 생각 차이를 확인하는 기회를 가질 수 있다.

□ [기본 교재]의 듣기와 읽기 활동이 끝나면 [더하기 활동 교재]의 '읽고 말하기'를 연계하여 학습한다. '읽고 말하기'는 '집안일을 도와줄 최고의 발명품'에 대한 신문 기사를 보고 이야기해 보는 활동인데 이는 [기본 교재]의 듣기와 읽기 활동 주제와 자연스럽게 연결된다. '읽고 말하기' 활동이 끝나면 '쓰기' 활동을 이어 진행한다. 이미 '읽고 말하기'에서 집안일과 관련된 발명품에 대해 생각하는 시간을 가졌기 때문에 쓰기 주제인 우리의 삶을 편하게 만들어 줄 최고의 발명품에 대한 글을 무리 없이 쓸 수 있을 것이다.

이렇게 말해요	해도 해도 끝이 없다	44쪽

□ '해도 해도 끝이 없다'는 해야 할 일이 너무 많을 때 사용하는 표현이다. 특히 집안일의 경우 해야 하는 일이 많기도 하지만 집안일의 특성상 매일 반복해서 해야 하는 일이라서 끝나는 순간 또 다시 시작되기 때문에 집안일을 두고 해도 해도 끝이 없다는 말을 자주 사용한다. 집안일 말고도 해도 해도 끝이 없는 일에는 어떠한 것이 있는지 학습자들과 이야기해 본다.

3A 05 환불하려면 영수증이 필요합니다

어휘와 표현	교환과 환불	47쪽

□ **어휘 제시**

- '교환과 환불'과 관련된 어휘와 표현을 제시하고 있다.
- 제시된 어휘들은 물건 구입부터 교환, 환불에 필요한 어휘, 그리고 구입한 물건에 생긴 문제와 관련된 표현들로 구성되어 있다.

1) '물건 구입'과 관련된 표현은 물건 구입, 결제 방법, 교환, 환불 같은 어휘이다. 물건을 구입하는 상황을 순서대로 제시하면서 각 단어의 의미를 제시한다.
2) '구입한 물건에 생긴 문제'와 관련된 표현은 학습자들이 흔히 구입하는 의류, 신발, 가방 등에 생길 수 있는 다양한 문제를 이야기할 때 쓸 수 있는 표현들이다. 학습자들이 구입한 물건에 어떤 문제가 생겨서 물건을 바꾼 경험에 대한 질문을 던진 후 '사이즈가 안 맞다', '끈이 떨어지다'와 같은 목표한 표현들이 대답으로 나오도록 유도한다.

□ **어휘 연습 및 활용**

- 어휘 학습이 끝나면 [기본 교재] 2번과 3번 문제를 확인한다. 2번은 그림을 보고 적절한 어휘를 쓰는 활동으로, 앞서 학습한 어휘들의 의미를 확인할 수 있다. 3번은 말하기 활동으로 '교환이나 환불한 경험'에 대해 이야기해 봄으로써 단원의 주제인 '교환과 환불'에 대해 생각해 볼 수 있다.
- [기본 교재]의 쓰기와 말하기 활동이 끝나면 [더하기 활동 교재] 활동을 이어 할 수도 있다. 하단에 제시되어 있는 새 어휘들의 의미를 학습한 후에 더 다양한 상황에 어휘들을 적용하는 연습을 통해 지식 강화 훈련을 하면 된다.

문법 1	-아/어 보니까	48쪽

※ 이 문법은 사용 빈도와 중요도가 높은 항목이나, 형태 변화 및 제약이 비교적 단순하여 교수·학습 시간을 짧게 구성할 수 있다.

□ 문법 도입

- 교재의 삽화 이용

교재의 삽화를 이용하여 목표 문법을 제시한다.

예 어제 구두를 선물 받았어요. 집에서 신어 봤어요. 딱 맞아요. 친구가 구두를 신어 봤어요? 라고 물어봐요. 이때 친구에게 어떻게 대답하면 될까요? 이때 '-아/어 보니까'를 써요. 어제 집에 가서 신어 보니까 딱 맞았어요.

- 교재에 제시된 예문 이용

삽화에 사용된 예문을 제외한 나머지 두 개의 예문을 이용하여 질문하고 학습자가 목표 문법을 사용하여 대답할 수 있도록 유도한다.

예 제주도(다른 여행지)에 가 봤어요? 어땠어요? 김치를 먹어 봤어요? 어땠어요?

□ 문법 설명

- 의미: 어떤 일을 경험한 후에 알게 된 새로운 사실이나 느낌, 생각을 표현할 때 사용한다.

'-아/어 보니까'는 2급에서 학습한 시도의 '-아/어 보다'와 발견의 '-(으)니까'가 결합한 확장 형태의 문법 항목이다. 어떤 경험이나 시도에 따라 새로운 발견을 하게 되는 상황을 이야기할 때 사용한다.

- 예문 및 제약

① '-아/어 보니까'는 동사와 함께 사용한다.

예 집에서 옷을 다시 입어 보니까 조금 작았어요.

② 앞 문장의 주어는 주로 말하는 사람이고, 뒤 문장의 주어는 대부분 앞 문장의 주어와 다르다.

예 (내가) 한국어를 공부해 보니까 어렵지 않았다.

③ '-아/어 보니까'의 뒤 문장에는 보통 과거나 현재의 표현이 온다.

예 책을 읽어 보니까 쉬워요.
책을 읽어 보니까 쉬웠어요.
책을 읽어 보니까 쉬울 거예요. (×)

④ '-아/어 보니까'의 앞에는 '보다'의 형태가 중복되어 어색해지기 때문에 동사 '보다'를 잘 사용하지 않는다. '보니까'의 형태로 사용하는 것이 자연스럽다.

문법 2	-(으)려면	49쪽

※ 이 문법은 사용 빈도와 중요도가 높은 항목이나, 형태 변화 및 제약이 비교적 단순하여 교수·학습 시간을 짧게 구성할 수 있다.

□ 문법 도입

- 교재의 삽화 이용

교재의 삽화를 이용하여 목표 문법을 제시한다.

예 친구가 신분증(학생증)을 잃어버렸어요. 다시 만들고 싶어해요. 신분증(학생증)을 다시 만들 때 뭐가 필요해요? 라고 친구가 물어봐요. 그때 '-(으)려면'을 사용해요. 신분증을 다시 만들려면 신청서하고 사진이 필요해요.

- 교재에 제시된 예문 이용

삽화에 사용된 예문을 제외한 나머지 두 개의 예문의 상황을 이용하여 질문하고 학습자가 목표 문법을 사용하여 대답할 수 있도록 유도한다.

예 싸고 예쁜 옷을 사고 싶어요. 학교 근처에 그런 곳이 있어요? 어디에 가야 돼요?
말하기 대회 신청서를 받고 싶어요. 어디에 가야 돼요?

□ 문법 설명

- 의미: 어떤 행동을 할 생각이나 계획이 있는 경우를 가정해서 말할 때 사용한다. 일반적으로 뒤 절에는 앞 절의 생각이나 계획을 실행하기 위한 행동 및 조건이 온다.

- 예문 및 제약

① '-(으)려면'의 뒤 절에는 앞 절의 생각이나 계획을 실행하기 위한 행동 및 조건이 오는 경우가 많다. 따라서 뒤 절에는 명령, 청유, 당위의 의미를 나타내는 표현을 주로 사용한다.

예 싸고 예쁜 옷을 사려면 학교 근처에 있는 옷 가게에 가 보세요.
숙제를 하려면 지금 같이 합시다.
한국어를 잘하려면 열심히 공부해야 돼요.

활동	50~51쪽

□ [기본 교재] 활동 1은 가게에서 옷을 교환하는 상황에 대한 듣기 활동이고, 활동 2는 교환 및 환불을 할 때 유의 사항에 대한 안내문을 읽는 활동이다. 듣기 활동을 통해 옷을 교환하는 과정 및 상황에 대해 이해하고, 읽기 활동을 통해 교환 및 환불을 할 때 주의해야 하는 사항들에는 어떤 것이 있는지 학습할 수 있다.

□ [기본 교재]의 듣기와 읽기 활동이 끝나면 [더하기 활동 교재]의 '듣기' 1번과 '읽고 말하기'를 연계하여 학습한다. '듣기' 1번은 온라인 쇼핑몰에 교환을 요청하는 듣기 활동이고, '읽고 말하기'는 요즘 흔히 하는 인터넷 쇼핑에서 꼭 알아야 하는 나라별로 다른 의류나 신발 사이즈에 대한 정보를 읽는 활동이다. 이러한 연계 활동을 통해 다양하게 알게 된 정보를 활용하여 '교환 및 환불'을 위한 게시판 글쓰기 활동을 자연스럽게 할 수 있다.

□ [더하기 활동 교재]에는 교환과 환불과 관련된 주제 외에도 쇼핑과 관련된 다양한 주제들이 활동으로 구성되어 있다. '듣기'에서는 최근 일반화된 인터넷 쇼핑에 대한 각자의 경험 및 선호도에

대한 이야기를 알 수 있고, '읽기'에서는 나라별 의류 및 신발 사이즈에 대한 정보에 대해서도 알아볼 수 있다.

이렇게 말해요	바가지(를) 쓰다	52쪽

□ '바가지를 쓰다'는 손해를 보거나 피해를 당했다는 의미이다. 사진 자료 등을 이용하여 바가지를 보여 주며, '바가지를 쓰다'의 어원을 간단하게 설명한다. 이는 과거 재미삼아 진행하던 도박(게임)에서 유래된 것이다. 1~10까지 숫자가 적힌 바가지를 섞어서 엎어 놓고, 이것을 진행하는 사람이 숫자를 하나 부른다. 사람들은 그 숫자가 적혀 있을 것 같은 바가지 앞에 돈을 걸고, 확인해서 진행자가 말한 숫자와 동일한 숫자에 돈을 낸 사람이 있다면 그 돈을 가져가고, 모두 틀리면 도박(게임)을 진행하는 사람이 갖게 되는 것이다.

□ **한국 문화**

교환 및 환불과 관련된 여러 한국 문화를 소개한다. 예를 들어, 카드로 결제할 경우 영수증이 없어도 교환 및 환불이 가능하며, 세일을 하는 상품의 경우 교환 및 환불이 어렵다. 사이즈나 취향 등을 정확하게 알지 못하는 사람에게 선물을 하는 경우에는 '교환증'을 함께 보내 받는 사람이 쉽게 교환을 할 수 있다는 등의 정보를 소개한다.

새로 사려다가 수리해서 쓰고 있어요

어휘와 표현	고장과 수리	55쪽

□ **어휘 제시**

- '고장과 수리'와 관련된 어휘와 표현을 제시하고 있다.
- '고장과 수리' 관련 기본 어휘들과 물건에 고장이 났을 때 나타나는 현상과 문제를 해결할 때 시도해 볼 수 있는 표현들로 구성되어 있다.

1) 첫 번째로 제시할 수 있는 어휘는 '고장이 나다, 수리를 맡기다, 서비스 센터, 고치다'이다. 이들 어휘는 고장 및 수리와 관련된 필수 어휘들로 일의 발생 순서이다. '고장이 나면 수리를 맡겨서 고쳐야 하는데, 그때 서비스 센터를 이용할 수 있다.'와 같이 순서에 따라 자연스럽게 제시하면 된다.

2) 가운데에 제시된 어휘(화면이 안 나오다~인터넷 연결이 안 되다)는 물건이 고장 났을 때 나타나는 다양한 현상과 관련된 표현들이다. 해당 현상이 나타날 수 있는 물건들을 구체적으로 제시하여 설명하거나 사진 자료 등을 활용할 수 있다.

3) 마지막에 제시되는 어휘는 전자제품 등을 이용하는 방법, 서비스 센터에 방문하기 전에 간단하게 시도해 볼 수 있는 문제 해결과 관련된 표현들이다. 2)에서와 마찬가지로 실제 물건이나 사진 자료 등을 활용해 동작과 함께 제시할 수 있다. 문제 해결과 관련된 표현으로 제시할 경우 '버튼을 꾹 눌러보다', '전원을 다시 켜 보다', '플러그를 다시 꽂아 보다'와 같이 부사어를 함께 제시한다.

□ 어휘 연습 및 활용

- 어휘 학습이 끝나면 [기본 교재] 2번과 3번 문제를 확인한다. 2번은 그림을 보고 적절한 어휘를 쓰는 활동으로, 앞서 학습한 어휘들의 의미를 확인할 수 있다. 이때 각 사물에서 나타날 고장에 적용할 수 있는 많은 어휘들을 다양하게 써 볼 수 있게 한다. 3번은 말하기 활동으로 '고장 난 물건'에 대해 이야기해 봄으로써 단원의 주제인 '고장과 수리'에 대해 생각해 볼 수 있다.
- [기본 교재]의 쓰기와 말하기 활동이 끝나면 [더하기 활동 교재] 활동을 이어 할 수도 있다. 하단에 제시되어 있는 새 어휘들의 의미를 학습한 후에 더 다양한 상황에 어휘들을 적용하는 연습을 통해 지식 강화 훈련을 하면 된다.

문법 1	-잖아요	56쪽

※ 이 문법은 사용 빈도와 중요도가 높은 항목이나, 형태 변화 및 제약이 비교적 단순하여 교수·학습 시간을 짧게 구성할 수 있다.

□ 문법 도입

- 교재의 삽화 이용

교재에 제시된 삽화와 예문을 이용하여 질문하고 학습자가 목표 문법을 사용하여 대답할 수 있도록 유도한다.

예 남자의 노트북이 고장 났어요. 회사 앞에 서비스 센터가 있어요. 회사 동료가 남자에게 노트북을 어떻게 하라고 말할 수 있을까요?

- 교재에 제시된 예문 이용

교재에 제시된 예문을 이용하여 목표 문법을 제시한다.

예 선생님이 지난번에 '다음 주 금요일에 시험을 쳐요.'라고 말했어요. 그런데 친구가 '이번 주 금요일이 시험이지?'라고 물어봐요. 친구가 시험을 치는 날을 잘못 알고 있어요. 이때 '-잖아요'를 써서 이야기해요. 시험은 다음 주 금요일이잖아.

□ 문법 설명

- 의미: 듣는 사람이 이미 알고 있을 거라고 생각하며 이야기할 때 사용한다. 말하고자 하는 상황이나 정보를 다시 확인시키거나 잘못 알고 있는 내용을 고쳐서 알려 줄 때 쓴다.
- 예문 및 제약

① '-잖아요'는 동사나 형용사와 함께 사용한다.

예 저는 매일 아침에 빵을 먹잖아요.
준 씨 동생은 키가 크잖아요.

② '-잖아요'는 격식체 표현 '-ㅂ/습니다'와 함께 사용하지 않는다. '-ㅂ/습니다'와 함께 쓰일 경우, 그 의미가 달라진다. '-잖습니다'는 '-지 않습니다'의 축약형으로 부정의 의미가 된다.

예 주말에는 일을 하잖습니다.

문법 2	-(으)려다가	57쪽

※ 이 문법은 사용 빈도와 중요도가 높은 항목이므로 문법 1 항목에 비해 교수·학습 시간이 더 필요할 수 있다.

□ 문법 도입

- 교재의 삽화 이용

교재의 삽화를 이용하여 목표 문법을 제시한다.

예 친구와 만나기로 했어요. 갑자기 일이 생겨서 조금 늦을 것 같아서 친구에게 연락했어요. 버스를 타고 가려고 나왔는데, 많이 늦을 것 같아요. 그래서 택시를 탔어요. 약속 시간에 맞게 도착하니까 친구가 깜짝 놀라요. 친구가 빨리 왔네? 라고 말해요. 그때 어떻게 말하면 될까요? 이때 '-(으)려다가'를 써요. 버스를 타려다가 택시를 탔어요.

- 교재에 제시된 예문 이용

삽화에 사용된 예문을 제외한 나머지 두 개의 예문의 상황을 이용하여 질문하고 학습자가 목표 문법을 사용하여 대답할 수 있도록 유도한다.

예 이 친구는 처음에 어떻게 수리를 하려고 했어요? 그런데 어떻게 했어요? 반바지를 입으려고 했는데 긴바지를 입었어요. 왜 안 입었어요?

□ 문법 설명

- 의미: 어떤 행동을 할 의도가 있었지만 다른 일이 생겨서 그것을 중단하거나 하지 않을 때 사용한다.
- 예문 및 제약

① '-(으)려다가'는 동사와 함께 사용한다.

예 지난주에 부모님 댁에 가려다가 일이 있어서 오늘 갔어요. 졸업 후에 취직을 하려다가 공부를 더 하기로 했어요.

② '-(으)려다가'는 2급에서 학습한 '-(으)려고'와 '-다가'가 결합한 형태이다.

활동	58~59쪽

□ [기본 교재] 활동 1은 고장 난 물건에 대한 듣기 활동이고, 활동 2는 수리 서비스 신청에 확인해야 하는 안내문을 읽는 읽기 활동이다. 듣기 활동을 통해 자주 고장이 나는 물건을 계속 수리를 해서 쓸지 바꿔야 할지에 대한 고민 상황을 생각해 보고 읽기 활동을 통해 가전제품 등에 문제가 생겼을 때 수리를 맡기기 전 확인해 봐야 하는 내용에 어떤 것이 있는지 확인할 수 있다.

□ [기본 교재]의 듣기와 읽기 활동이 끝나면 [더하기 활동 교재]의 '읽고 말하기'를 연계하여 학습한다. '읽고 말하기'는 가전제품 회사의 품질보증서에 대한 글인데, [기본 교재]의 듣기와 읽기 활동을 통해 물건이 고장 나서 수리를 맡기기 전에 확인해 봐야 할 사항들을 확인한 후에도 문제가 해결되지 않았을 때 할 수 있는 활

동으로 자연스러운 연계가 가능하다. 이들 활동을 바탕으로 가전 제품에 문제가 생겼을 때 인터넷으로 수리 신청을 하는 신청서 쓰기 활동으로 이어질 수 있다.

□ [더하기 활동 교재]에는 고장과 수리와 관련된 다양한 활동이 제시되어 있다. '듣기'에서는 서비스 센터에서 고장 난 물건에 대해 설명을 하고 수리를 맡기는 상황, 물건을 사용하는 기간, '쓰기'에서는 물건의 사용 기간에 대한 경험 및 생각을 쓰는 활동을 해 볼 수 있다.

이렇게 말해요	가성비	60쪽

□ '가성비'는 '가격 대비 성능'의 줄임말로, 구입한 가격에 비해 제품의 성능이 물건을 산 사람에게 얼마나 큰 가치를 주는지를 의미한다. 즉, 가격은 싸면서도 만족도는 높은 것을 중요하게 생각하는 구매자들의 마음을 나타낸 말이다. 교재의 예문이나 '가성비'라는 표현이 사용된 신문 기사의 헤드라인 등을 활용하여 제시하고 설명한다.

□ **한국 문화**

'이렇게 말해요'에서 제시한 '가성비'와 함께 많이 사용하는 신조어인 '가심비'를 소개한다. '가심비'는 '가격 대비 마음의 만족을 추구하는 소비 형태'를 의미하며, 가격 대비 심리적인 만족감을 중요시하는 사람들의 심리를 의미하는 표현이다. 고장 및 수리와 관련하여 한국의 전자제품의 경우 서비스 센터의 접근이 매우 쉬우며, 소비자의 큰 실수가 아닌 이상 무상 수리가 쉬운 점 등을 소개한다.

여자 친구하고 만난 지 곧 3년이 돼

어휘와 표현	기념일, 기념일에 하는 일	63쪽

□ **어휘 제시**

- '기념일'과 관련된 어휘와 표현을 제시하고 있다.
- 상단 어휘는 기념일의 이름으로 구성되어 있고, 하단의 어휘는 기념일에 하는 일과 관련된 표현들로 구성되어 있다.

1) 기념일을 설명할 때 사용할 수 있는 어휘들이 제시되어 있다. 학습자가 이미 알고 있는 기념일의 명칭(모국어)을 떠올리게 하고 이것을 한국어로 뭐라고 하는지 제시한다.
2) 기념일에 하는 일과 관련된 표현들이다. 앞에서 배운 기념일 명칭 중 대표적인 기념일 몇 가지를 예로 들고, 각각의 기념일에 하는 일을 이미지로 떠올리게 하며 어휘를 제시한다.

기념일	기념일에 하는 일
밸런타인데이 / 결혼기념일	기념일을 챙기다 이벤트를 준비하다 케이크를 주문하다
스승의 날	기념 행사를 하다 기념일을 맞이하다 꽃을 달아 드리다
어버이날	외식을 하다 상품권을 선물하다

□ **어휘 연습 및 활용**

- [기본 교재] 2번의 문제는 기념일과 해당 기념일에 하는 일을 연결하는 것이다. 상단의 그림을 보고 기념일의 명칭을 확인하고, 하단의 기념일에 하는 일 중 맞는 것을 찾아 연결한다. 그림

을 연결한 후에는 '(기념일 명칭)에는 (기념일에 하는 일).'의 형태로 문장을 써 본다.

- 3번은 말하기 활동으로 학습자가 여러 기념일에 실제로 해 본 일을 이야기해 보게 한다. 교재에서 배운 표현들을 사용하되 세부적인 내용을 학습자 자신의 상황에 맞게 바꾸어 사용할 수 있게 한다. (예 케이크를 주문하다 → 초콜릿을 주문하다/케이크를 만들다 등)
- [기본 교재]의 활동이 끝나면 [더하기 활동 교재]를 이어 할 수 있다. 기념일에 하는 일을 기념일별로 분류한다. 그리고 기본 교재에서 자신이 기념일에 한 일을 말해 보았다면 [더하기 활동 교재]에서는 자신이 기념일에 한 일을 문장으로 써 볼 수 있다.

문법 1	-(으)ㄴ 지	64쪽

※ 이 문법은 사용 빈도와 중요도가 높은 항목이므로 문법 2 항목에 비해 교수·학습 시간이 더 필요할 수 있다.

□ 문법 도입

- 교재의 삽화 이용

  교재의 삽화를 이용하여 목표 문법을 제시한다.

  예 두 사람은 언제 결혼했어요? 3년 전에 결혼했어요. 결혼을 하고 시간이 3년 지났어요. 결혼한 지 3년 됐어요.

- 교재에 제시된 예문 이용

  삽화에 사용된 예문을 제외한 나머지 두 개의 예문을 이용하여 질문하고 학습자가 목표 문법을 사용하여 대답할 수 있도록 유도한다.

  예 이 사람은 언제 점심을 먹었어요? 점심을 먹은 지 얼마나 됐어요?

  이 사람은 언제부터 회사에서 일했어요? 회사에서 일한 지 얼마나 됐어요?

□ 문법 설명

- 의미: 어떤 일을 한 후 경과된 시간을 나타낼 때 사용한다.
- 예문: 세종학당에 다닌 지 1년 됐어요.

  학교를 졸업한 지 3년 됐어요.

  영화가 시작한 지 30분 됐어요.

  기차가 출발한 지 10분 지났어요.

- 제약

  ① 형용사와 결합하지 않는다.

  예 배가 고픈 지 1시간쯤 됐어요. (×)

  날씨가 추운 지 일주일 됐어요. (×)

  ② '-었-'과 결합하지 않는다.

  예 결혼했은 지 3년 됐어요. (×)

  한국어를 배웠은 지 한 달 됐어요. (×)

- 확장

  '-(으)ㄴ 지'를 사용해서 질문할 때는 '-(으)ㄴ 지 얼마나 됐어요/지났어요?'의 형태로 사용한다. '-(으)ㄴ 지' 뒤에는 '되다'와 '지나다' 등을 사용할 수 있으며, '지나다'는 '되다'에 비해 비교적 짧은 시간을 나타낼 때 사용한다.

  예 한국어를 배운 지 얼마나 됐어요? - 두 달 됐어요.

  영화가 시작한 지 얼마나 됐어요? - 5분 쯤 지났어요.

문법 2	-자고 하다	65쪽

※ 이 문법은 형태 변화 및 제약이 비교적 단순하여 문법 1 항목에 비해 교수·학습 시간을 짧게 구성할 수 있다.

□ 문법 도입

- 교재의 삽화 이용

  교재의 삽화를 이용하여 목표 문법을 제시한다.

  예 주노가 남자에게 말했어요. '같이 수영하러 가자.' 남자는 '좋아.' 라고 말했어요. 그리고 남자는 여자에게 말했어요. '주노가 같이 수영하러 가자고 했어.' 주노가 말한 것을 여자에게 전달해요.

- 교재에 제시된 예문 이용

  예문을 이용하여 질문하고 학습자가 목표 문법을 사용하여 대답할 수 있도록 유도한다.

  예 재민 씨에게 부탁해요. 다른 사람들에게 말을 전달해 주세요. 어떤 말을 전달해야 해요? ('내일 회의는 2시에 합시다.') 그럼 재민 씨에게 어떻게 부탁해요? 내일 회의 2시에 하자고 말해 주세요.

  동생에게 내가 말했어요. 뭐라고 말했어요? ('주말에 선물을 사러 가자.') 내가 동생에게 이 말을 한 것을 문장으로 말해요. '주말에 선물을 사러 가자고 했습니다.'

□ 문법 설명

- 의미: 어떤 일을 같이 할 것을 권유하거나 제안하는 말을 전달할 때 사용한다.
- 예문: 친구가 같이 여행을 가자고 했어요.

  팀장님이 같이 점심을 먹자고 했어요.

  내일 같이 운동을 하자고 했어요.

- 확장

  다른 인용 표현과 마찬가지로 '-자고' 뒤에 '하다' 외에 '말하다'가 함께 사용될 수 있다.

활동	66~67쪽

□ [기본 교재] 활동 1은 여자 친구와의 기념일을 앞두고 식당을 예약하려는 유진과 유진의 친구인 안나의 대화를 듣고, 기념일과 관련된 자신의 경험을 이야기하는 활동이다. 듣기 활동을 통해 기념일에 하는 일과 관련 표현들을 다시 확인하고, 자신의 경우를 대입하여 기념일에 하는 일에 대한 표현을 사용하여 말하기 활동을 한다. 활동 2는 이색 기념일을 소개하는 짧은 글을 읽는 활동이다. 어휘 활동에서 제시된 기념일 외에 새로운 기념일에 대해 알고 각 나라의 이색적 기념일에 대해서도 함께 이야기해 볼 수 있다. 본문에 포함된 어휘 중 농업, 축산업, 수산업 등 어려운 어휘들이 포함되어 있으나 어휘 학습에 목표를 두지 않고, 기념일 이름에 초점을 두고 읽기를 한다. 3월 3일이 왜 삼겹살 데이인지, 5월 2일이 왜 오이데이인지 학생들이 추측하고 이야기하면서 다양한 기념일에 대한 흥미를 가질 수 있게 한다.

□ [기본 교재]의 듣기와 읽기 활동이 끝나면 [더하기 활동 교재]를 할 수 있다. [기본 교재]의 듣기가 기념일을 앞두고 기념일을 축하하기 위한 준비를 하는 상황인 반면, [더하기 활동 교재]의 듣기는 기념일을 축하하고 난 이후의 상황으로 기념일에 경험한 일에 대해 들을 수 있다. [더하기 활동 교재]의 쓰기는 '기억에 남는 기념일'에 대해 쓰는 활동으로 [기본 교재]에서 기념일에 대한 자신의 경험을 짧은 담화나 대화로 말한 것을 보다 확장하여 글로 쓰는 연습을 할 수 있다.

이렇게 말해요	센스가 있다	68쪽

□ '센스가 있다'는 영어의 의미를 한국식으로 바꾸어 사용하는 것으로 일반적으로 '센스가 있다/좋다'라고 말하는 상황과 '센스가 없다'라고 말하는 상황을 예를 들어 설명한다.

□ **한국 문화**

기념일이 많은 5월을 가족의 달이라고 부르는 것을 소개하며 가족을 중심으로 한 한국의 기념일 문화(어버이날, 어린이날, 부부의 날 포함 기타 가족 행사)에 대해 알려 준다.

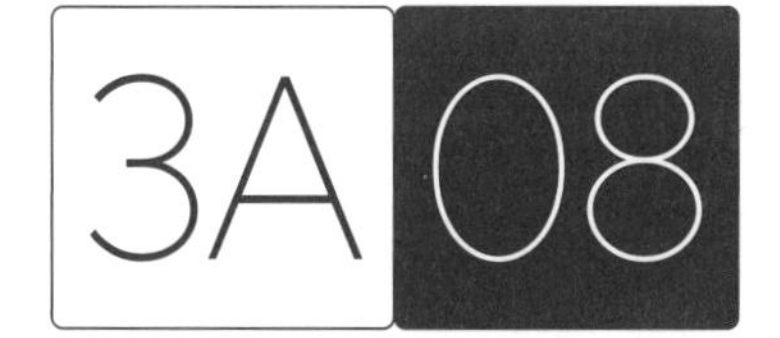

한글날을 기념하기 위해서 여러 가지 행사를 한다고 해

어휘와 표현	국경일/기념일 행사	71쪽

□ **어휘 제시**

- '국경일/기념일 행사'와 관련된 어휘와 표현을 제시하고 있다.
- 첫 번째 어휘는 한국의 국경일 명칭으로 구성되어 있고, 두 번째 어휘는 행사, 대회 참여와 관련된 어휘로 구성되어 있다.

1) 한국의 국경일 명칭이 제시되어 있다. 학습자가 알고 있는 한국의 국경일이 있는지, 그 명칭을 한국어로 말할 수 있는지 이야기하면서 도입 활동을 하고 어휘를 제시한다.
   ㉵ 10월 9일이 한국에서 무슨 날인지 알아요? 무엇을 기념하는 날이에요?
2) 행사나 대회에 참가하는 과정을 설명하는 데 사용되는 표현을 제시하고 있다. 위에서부터 참가 과정의 시간 순서에 따라 어휘가 제시된다. 따라서 행사나 대회에 참가할 때의 절차를 환기하며 각 단계에서 사용되는 표현을 설명한다.
   ㉵ 한글날 한국어 말하기 대회가 있어요. 대회에서 말하기를 하고 싶어요. 대회에 나가요. 대회에 나가기 전에는 뭐 해요? 참가를 신청해요. 이때 신청서를 작성해요.

□ **어휘 연습 및 활용**

- 어휘 학습이 끝나면 [기본 교재] 2번과 3번 문제를 확인한다. 2번은 그림을 보고 적절한 어휘를 쓰는 활동으로, 앞서 학습한 어휘와 표현의 의미를 확인할 수 있다. 3번은 말하기 활동으로 자신의 대회나 행사 참가 경험을 학습한 표현을 사용하여 연습해 볼 수 있다.
- [기본 교재]의 쓰기와 말하기 활동이 끝나면 [더하기 활동 교재] 활동을 이어 할 수도 있다. 하단에 제시되어 있는 새 어휘들

의 의미를 학습한 후에 명사(대회, 본선, 상)를 중심으로 어울리는 서술어를 찾아 연결하며 어휘 지식을 강화한다.

문법 1	-기 위해서	72쪽

※ 이 문법은 형태 변화 및 제약이 비교적 단순하여 문법 2 항목에 비해 교수·학습 시간을 짧게 구성할 수 있다.

□ **문법 도입**

- 교재의 삽화 이용

교재의 삽화를 이용하여 목표 문법을 제시한다.

예 이 사람은 무엇을 하고 있어요? 왜 아침마다 운동을 해요? 건강을 유지하려고 운동을 해요. 건강을 유지하기 위해서 아침마다 운동을 해요.

- 교재에 제시된 예문 이용

삽화에 사용된 예문을 제외한 나머지 두 개의 예문을 이용하여 질문하고 학습자가 목표 문법을 사용하여 대답할 수 있도록 유도한다.

예 이 사람은 왜 매일 한국 드라마를 봐요? (한국어 실력을 늘리기 위해서)

무슨 행사를 해요? 이 행사를 왜 해요? (한글날을 기념하기 위해서)

□ **문법 설명**

- 의미: 어떤 상황이나 행동이 발생하게 된 목적, 의도를 나타낼 때 사용한다.

- 예문: 친구를 만나기 위해서 카페에 갔어요.

한국어를 공부하기 위해서 세종학당에 다녀요.

졸업식 때 입기 위해서 새 옷을 샀어요.

- 제약

① 앞 절과 뒤 절의 주어가 같아야 한다.

예 나는 졸업식 때 입기 위해서 친구는 새 옷을 샀어요. (×)

② 동사와 결합하며 일부 형용사는 '-아/어지다' 혹은 '-게 하다' 형태로 사용한다.

예 몸을 따뜻하게 하기 위해서 따뜻한 차를 마셔요.

- 확장

명사와 함께 '을/를 위해서'의 형태로 사용하면 명사가 뒤 절이 표현하는 행위의 목적이나 대상을 나타낸다.

예 건강을 위해서 매일 운동을 해요. (매일 운동을 하는 목적: 건강 증진)

취직한 친구를 위해서 선물을 샀어요. (선물을 받는 대상: 친구)

문법 2	-아야겠다/어야겠다	73쪽

※ 이 문법은 사용 빈도와 중요도가 높은 항목이므로 문법 1 항목에 비해 교수·학습 시간이 더 필요할 수 있다.

□ **문법 도입**

- 교재의 삽화 이용

교재의 삽화를 이용하여 목표 문법을 제시한다.

예 여자가 무엇을 생각하고 있어요? (식당) 그 식당이 어때요? (맛있다) 여러분이 맛있는 식당을 알게 됐어요. 무슨 생각을 해요? 나도 가 봐야겠다.

- 교재에 제시된 예문 이용

삽화에 사용된 예문을 제외한 나머지 두 개의 예문을 이용하여 질문하고 학습자가 목표 문법을 사용하여 대답할 수 있도록 유도한다.

예 노래 대회에 나가고 싶어요. 대회에 나가기 위해서 신청을 해야 해요. 그런데 어떻게 신청하는지 몰라요. 그래서 신청하는 방법을 알아봐야 해요. 그 일을 꼭 할 거라고 자기 자신에게 말해요. 어떻게 말해요?

□ **문법 설명**

- 의미: 뒤에 이어지는 행위를 꼭 할 것이라는 강한 의지를 나타낼 때 사용한다.

- 예문 및 제약

① 형용사와 결합하지 않는다.

② 과거를 나타내는 문법 요소 '-았/었-'과 결합하지 않는다.

예 한국어 말하기 대회에 나갔어야겠어요. (×)

활동	74~75쪽

□ [기본 교재] 활동 1은 한글날 행사를 나가려는 학생들의 대화를 듣는 활동이고, 활동 2는 한글날 행사에 참가한 후기를 읽는 활동이다. 듣기 활동을 통해서 한글날 행사에 대한 정보를 듣고, 읽기 활동을 통해 한글날을 기념하기 위해 열린 다양한 행사의 구체적인 내용을 확인할 수 있다.

□ [더하기 활동 교재]의 듣기 2와 읽고 말하기는 한국의 국경일과 관련된 새로운 정보를 얻을 수 있는 내용으로 구성되어 있다. 읽고 말하기에서는 '단군 신화'에 대해 읽고 상호 문화적 관점에서 학습자 나라의 신화 및 이와 관련된 국경일에 대해 이야기해 볼 수 있다.

이렇게 말해요	한턱내다	76쪽

□ '한턱'은 다른 사람에게 음식을 대접하는 일을 말하며 주로 '한턱내다'의 형태로 사용한다. 일반적으로 한국 사람들이 '한턱내는' 상황을 예로 들어 설명한다. 그 외 '한턱 쏘다'의 형태로 사용하는 경우도 있음을 알려 준다.

□ **한국 문화**

한글날 외에 한국의 국경일에 열리는 대표적인 행사를 소개한다. (기념식, 국기 게양 등)

비가 오면 오히려 기분이 좋아지는데요

어휘와 표현	날씨와 감정	79쪽

□ **어휘 제시**

- '날씨'와 '감정'과 관련된 어휘와 표현들로 구성되어 있다.
- 상단에는 날씨와 관련된 표현들이 있고 하단에는 감정과 관련된 여러 표현들이 제시되어 있다.
  1) 상단의 표현들은 '날씨'와 관련된 어휘들로 그림이나 사진을 이용하여 제시하면 의미 전달이 용이하다. 또한 계절별로 사용할 수 있는 어휘들을 나누어 보는 방법도 어휘 활용적인 측면에서 도움이 된다.
     예 봄 - 포근하다 / 여름 - 무더위, 장마, 푹푹 찌다 등
  2) 하단에는 감정 표현들이 제시되어 있다. 감정 어휘의 경우 의미를 정확하게 전달하는 것이 쉽지 않기 때문에 이러한 어휘들을 사용할 수 있는 여러 상황을 제시하여 유추할 수 있는 기회를 제공하는 것이 중요하다.
     예 날씨가 안 좋을 때, 시험 결과가 좋지 않을 때, 친구와 싸웠을 때, 또 아무 이유 없이 갑자기 슬퍼져서 가만히 있고 싶을 때 '우울하다'라고 말할 수 있다.

□ **어휘 연습 및 활용**

- 어휘 학습이 끝나면 [기본 교재] 2번과 3번 문제를 확인한다. 2번은 계절이나 날씨 관련 그림을 보고 적절한 감정 어휘를 쓰는 활동으로, 앞서 학습한 어휘들의 의미를 확인할 수 있다. 3번은 말하기 활동으로 특정 날씨에 자신의 감정이 어떤지에 대해 이야기해 봄으로써 단원 주제인 '날씨와 감정'에 대해 미리 생각해 볼 기회를 가질 수 있다.
- [기본 교재]의 쓰기와 말하기 활동이 끝나면 [더하기 활동 교

재] 활동을 이어 할 수 있다. 하단에 제시되어 있는 새 어휘들은 날씨 관련 확장 어휘들로 이들 어휘의 의미를 학습한 후에 한여름이나 한겨울과 관련된 어휘들을 분류해 보거나 날씨와 관련된 자신의 감정을 쓰는 연습을 하면서 지식 강화 훈련을 한다.

문법 1	-아지다/어지다	80쪽

□ 문법 도입

- 교재의 삽화 이용

교재의 삽화를 이용하여 목표 문법을 제시한다.

예 이 남자는 지금 조깅하고 있어요. 기분이 어때요? 네. 좋아요. 얼굴이 밝아요. 운동을 하기 전에는 기분이 좋지도 안 좋지도 않았어요. 그런데 운동을 하니까 기분이 좋아요. 좋아졌어요. 이처럼 변화가 있을 때 '-아지다/어지다'를 이용해서 말할 수 있어요.

- 교재에 제시된 예문 이용

삽화에 사용된 예문을 제외한 나머지 두 개의 예문을 이용하여 질문하고 학습자가 목표 문법을 사용하여 대답할 수 있도록 유도한다.

예 여러분은 언제, 무엇을 하면 행복해져요?

□ 문법 설명

- 의미: 형용사에 붙어 시간의 변화에 따라 상태가 조금씩 변화하는 과정을 나타낼 때 사용하는 표현이다.
- 예문: 요즘 여름이라서 낮이 점점 길어지고 있습니다.
  한국어를 공부하면서 한국 친구가 많아졌어요.
  그 사람이 점점 좋아져요.
- 확장: 동사와 함께 쓰일 경우 피동의 의미를 가지게 된다.

예 칠판 글씨가 지워졌어요.
제 꿈이 이루어지면 좋겠습니다.

문법 2	-는/(으)ㄴ 대신에	81쪽

□ 문법 도입

- 교재의 삽화 이용

교재의 삽화를 이용하여 목표 문법을 제시한다.

예 이 여자는 어디에서 공부해요? 도서관에서 공부해요? 아니에요. 도서관에 가지 않고 카페에 가서 공부해요. 도서관에 가는 대신에 카페에서 공부해요. 나는 주말에 도서관에 가지 않았다, 도서관 말고 카페에 갔다고 말하고 싶을 때 '-는/(으)ㄴ 대신에'를 이용하면 돼요. '도서관에 가는 대신에 카페에서 공부했어요'라고 말할 수 있어요.

- 교재에 제시된 예문 이용

삽화에 사용된 예문을 제외한 나머지 두 개의 예문을 이용하여 질문하고, 학습자가 목표 문법을 사용하여 대답할 수 있도록 유도한다.

예 아침에 밥 먹을 시간이 없는데 배가 고파요. 밥을 안 먹으면 무엇을 먹을 거예요? 밥을 먹는 대신에 무엇을 먹으면 좋을까요?

□ 문법 설명

- 의미: 앞선 행동과 다르거나 그와 반대임을 나타내는 표현이다. 앞선 행동을 하지 않고 다른 행동으로 대체하거나 그것에 상응하는 다른 것으로 보상함을 나타낸다.
- 예문: 보고 싶은 영화가 없어서 영화를 보는 대신에 연극을 보았습니다.
  일찍 출근하는 대신에 일찍 퇴근할 수 있어서 좋아요.
  보통 아침에는 밥을 먹는 대신에 우유를 한 잔 마셔요.
- 확장

① 조사 '에'가 생략된 '는/(으)ㄴ 대신'의 형태로도 쓰인다.

예 영화를 보는 대신 연극을 보았습니다.
일찍 출근하는 대신 일찍 퇴근합니다.

② 명사 뒤에 '대신에'가 바로 연결되어 쓰이기도 한다.

예 술 대신 차나 한잔해요.
친구 대신에 제가 왔어요.

활동	82~83쪽

□ [기본 교재] 활동 1은 날씨와 감정 변화에 대한 듣기 활동이고, 활동 2는 우울할 때 하는 일에 대한 설문 조사 결과를 알아보는 읽기 활동이다. 듣기 활동을 통해 날씨가 감정 변화에 어떤 영향을 주는지 이야기할 수 있고, 읽기 활동을 통해 우울할 때 사람들은 어떤 일을 하면서 그 감정을 극복하는지 알아보고 자신의 경험을 이야기할 수 있다.

□ [기본 교재]의 읽기 활동이 끝나면 [더하기 활동 교재]의 '듣고 말하기'와 '읽고 말하기'를 연계하여 학습한다. '듣고 말하기' 2번은 햇빛과 우울증에 대한 강연이고, '읽고 말하기' 1번은 음식으로 기분을 조절하는 방법에 대한 글을 읽고 자신의 경험을 이야기해 보는 활동으로 구성되어 있는데 이는 [기본 교재]의 듣기와 읽기 활동 주제인 '감정 변화'와 맥락이 같다. 이렇게 다각도로 감정의 변화에 대한 자신의 경험을 다른 사람과 나눠 본 후에 '기분이 안 좋을 때 좋게 만드는 방법'에 대한 '쓰기' 활동을 하면 글감 준비를 따로 하지 않아도 된다.

이렇게 말해요	꿀꿀하다	84쪽

□ '꿀꿀하다'는 마음이나 기분이 안 좋은 상태에 있거나 날씨가 흐리거나 궂은 상태에 있을 때 사용하는 표현이다. 시험 점수가 나

빠서 기분이 좋지 않을 때 '오늘 기분이 꿀꿀해'라고 말할 수 있다. 또한 흐린 날씨를 보고 '오늘 날씨도 꿀꿀한데 쇼핑은 다음에 가자'라고 말할 수 있다.

□ 이외에도 기분이나 날씨를 표현할 수 있는 어휘로 '찌뿌둥하다'가 있다. 기분이 밝지 못하거나 비나 눈이 올 것 같은 날씨를 가리켜 '찌뿌둥하다'고 말할 수 있다. 이렇게 사람의 기분과 날씨가 밀접한 관계가 있음을 이러한 단어들로 확인할 수 있고, 다른 나라에서는 어떤 표현들이 있는지 같이 이야기를 나누면 흥미로울 것이다.

□ **한국 문화**
한국 사람들에게는 특정 날씨에 생각 나는 음식이 있다. 예를 들어 비 오는 날에는 입버릇처럼 '전 부쳐 먹고 싶다'는 표현을 한다.

오늘은 일찍 들어가도록 하세요

어휘와 표현	증상 및 치료	87쪽

□ **어휘 제시**

- '증상'과 '치료'와 관련된 표현들이 함께 제시되어 있다.
- 먼저 아픈 증상과 관련된 표현들이 9개 제시되어 있고, 나머지 3개는 치료 방법과 관련된 표현들이 제시되어 있다.

1) '증상' 관련 표현
'증상'과 관련된 표현들은 교사가 직접 행동으로 보여 주거나 사진 자료 등을 이용하여 제시하면 의미 전달이 용이하다. 또한 표현을 가르칠 때 사용 시 주의할 점도 함께 제시하면 학습자들의 오류 생성을 줄일 수 있다.
㉠ 열이 나요. 기침을 해요. 피부가 간지러워요. 두통이 생겼어요. 배탈이 났어요. 발목을 삐었어요. 등(완료형으로 제시해야 하는 표현)

2) '치료' 관련 표현
'치료'와 관련된 표현들 역시 교사가 직접 행동으로 보여 주거나 사진 자료 등을 이용하여 제시하면 의미 전달이 용이하다. 특히 실물 자료를 이용하여 직접 각각의 표현들에 대한 구체적인 행동을 보여 주면 학습자의 흥미를 끌기도 쉽다. 그리고 이러한 '치료' 관련 표현은 어떤 증상에 대한 치료 방법인지에 대해 함께 이야기해 보고, 제시되어 있지는 않지만 앞서 배운 여러 증상들에 대한 치료 방법에는 어떤 것이 있는지도 이야기를 나눈다.
㉠ 피부가 간지럽다-연고를 바르다
발목을 삐다-파스를 바르다, 냉찜질을 하다
열이 나다-차가운 수건을 이마에 얹는다 등

□ 어휘 연습 및 활용

- 어휘 학습이 끝나면 [기본 교재] 2번과 3번 문제를 확인한다. 2번은 그림을 보고 증상이 어떤지 쓰는 활동으로, 앞서 학습한 어휘들의 의미를 확인할 수 있다. 3번은 말하기 활동으로 어떤 증상이 있을 경우 자신이 알고 있는 치료 방법을 이야기해 봄으로써 단원 주제인 '증상과 치료'에 대해 어렵지 않게 접근할 수 있다.
- [기본 교재]의 쓰기와 말하기 활동이 끝나면 [더하기 활동 교재] 활동을 이어 하면 된다. [더하기 활동 교재]의 하단에 제시되어 있는 새 어휘들은 증상 관련 확장 어휘들로 이들 어휘의 의미를 학습한 후에 증상과 함께 쓰이는 동사를 중심으로 분류해 보거나 [기본 교재]의 3번 말하기 활동의 내용을 [더하기 활동 교재]의 2번 쓰기 활동으로 이어 해도 좋다.

문법 1	-도록 하다	88쪽

□ 문법 도입

- 교재의 삽화 이용

교재의 삽화를 이용하여 목표 문법을 제시한다.

예 남자는 지금 목이 아파요. 목감기에 걸렸어요. 그래서 동료가 남자에게 말했어요. 무슨 말을 했어요? 쉬세요. 물을 드세요. 맞아요. 쉬도록 하세요. 물을 자주 마시도록 하세요. 남자가 아파요. 동료는 쉬고 물을 마시는 것이 좋은 방법이라고 생각해서 권유하는 거예요. 이처럼 어떤 일을 시키거나 권유할 때 '-도록 하다'를 써요.

- 교재에 제시된 예문 이용

삽화에 사용된 예문을 제외한 나머지 두 개의 예문을 이용하여 질문하고 학습자가 목표 문법을 사용하여 대답할 수 있도록 유도한다.

예 학생이 수업에 자주 지각을 해요. 그러면 선생님은 학생에게 어떻게 말하면 좋을까요?

□ 문법 설명

- 의미: 동사에 붙어 어떤 사람에게 어떤 행위를 하도록 시키거나 허락함을 나타낸다. 이때 동사 '하다'는 명령형으로 쓰인다.
- 예문: 여기에서는 담배를 피우지 말도록 하세요.
  다음 주까지 과제를 이메일로 보내도록 하십시오.
  음식이 부족하지 않도록 많이 준비해.
- 확장: '-도록 하겠다'의 구성으로 쓰여 말하는 사람이 어떤 행위를 할 것이라는 의지나 다짐을 나타낼 때에도 사용할 수 있다.

  예 앞으로 조심하도록 하겠습니다.
  제가 그 일을 하도록 할게요.

문법 2	-아야/어야	89쪽

□ 문법 도입

- 교재의 삽화 이용

교재의 삽화를 이용하여 목표 문법을 제시한다.

예 여러분, 다음 날 아침 6시에 일어나야 해요. 일찍 일어나야 해요. 그러면 어떻게 해야 해요? 맞아요. 전날 일찍 자야 해요. 일찍 자면 일찍 일어날 수 있어요. 일찍 안 자면 다음 날 일찍 일어나기 쉽지 않아요. 그래서 일찍 자는 것이 꼭 해야 하는 일이에요. 이럴 때 우리는 '-아야/어야'를 사용해서 '일찍 자야 일찍 일어날 수 있어요.'라고 말해요.

- 교재에 제시된 예문 이용

삽화에 사용된 예문을 제외한 나머지 두 개의 예문을 이용하여 질문하고 학습자가 목표 문법을 사용하여 대답할 수 있도록 유도한다.

예 언제 퇴근할 수 있어요? 일이 끝나야 해요. 그러면 퇴근할 수 있어요. 어떻게 말하면 될까요?
감기가 나으려면 어떻게 해야 해요?

□ 문법 설명

- 의미: 동사나 형용사에 붙어 앞선 행위나 상태가 뒤 상황에 대한 필수적인 조건임을 나타낼 때 사용한다.
- 예문: 앞 사람이 앉아야 뒷 사람이 칠판을 볼 수 있어요.
  날씨가 좋아야 등산하러 갈 수 있어요.
  발표 준비를 끝내야 나가서 놀 수 있어요.
- 확장

  ① '-아야/어야'는 말할 때 '-아야지/어야지'로 쓰기도 한다. 그러나 글이나 격식을 갖춘 발표, 보고문 등에서는 '-아야/어야'를 주로 사용한다.

  예 날씨가 좋아야지 등산하러 갈 수 있어요.

  ② '-아야/어야'는 그 뜻을 강조하기 위해서 '-아야만/어야만'의 형태로도 쓰인다.

  예 날씨가 좋아야만 등산하러 갈 수 있어요.

활동	90~91쪽

□ [기본 교재] 활동 1은 아픈 증상에 대한 듣기 활동이고 활동 2는 건강을 지키기 위한 습관과 관련된 읽기 활동이다. 듣기 활동을 통해 자신의 아픈 증상을 다른 사람에게 말하는 방법을 배울 수 있고, 읽기 활동을 통해 우리가 건강을 유지하기 위해 할 수 있는 어렵지 않은 일들에 대해 알아볼 수 있는 시간을 가질 수 있다.

□ [기본 교재]의 읽기 활동이 끝나면 [더하기 활동 교재]의 '듣기'와 '읽고 말하기'를 연계하여 학습한다. [더하기 활동 교재]의 '듣기' 1번은 자신의 아픈 증상을 의사에게 알리는 내용이고, 2번은 올바른 찜질 방법에 대한 강연이다. '읽고 말하기' 1번은 밥의 중요

성에 대한 글이다. 이러한 활동을 통해 자신의 아픈 증상을 한국어로 설명할 수 있을 뿐만 아니라 치료 방법에 대해서도 이야기할 수 있다. 특히 치료 방법 중 음식과 같은 자신만의 특별한 방법도 다른 사람과 서로 공유할 수 있어서 학습자의 흥미를 유발할 것으로 보인다.

□ [기본 교재]의 읽기 활동인 '건강을 지키기 위한 습관'과 관련된 글을 읽은 후에 [더하기 활동 교재]의 '쓰기'를 이어서 바로 진행하면 된다. 쓰기 활동 주제는 '건강한 삶'으로 [기본 교재] 활동이 쓰기에 도움이 될 것이다.

이렇게 말해요	꿀잠	92쪽

□ '꿀잠'은 아주 달게 자는 잠을 말한다. '꿀'과 함께 어떤 단어가 사용되면 그 어휘는 달콤한 것처럼 기분 좋은 일이라는 의미를 지니게 된다.

□ '꿀'과 함께 쓰인 어휘로 '꿀맛'이라는 어휘가 있다. 꿀처럼 단맛을 가리킬 때 사용하기도 하고, 매우 재미있는 일에 대해서도 사용할 수 있다.

□ **한국 문화**

한국에서는 건강을 위해 '보약'을 먹는다. '보약'은 아플 때 먹는 약이 아니라 몸을 보호하기 위해 먹는 약이다. 또한 이러한 보약과 관련하여 여러 표현이 있다.

예 '잠이 보약이다', '밥이 보약이다' 등

주말에는 집에서 쉬는 게 좋더라고요

어휘와 표현	여가 활동의 장점	95쪽

□ **어휘 제시**

- 여가 활동의 장점을 나타내는 표현들을 제시하고 있다.
- 학습자들이 즐겨 하는 여가 활동은 무엇이고 그 활동을 했을 때 얻게 되는 장점이 무엇인지 질문하며 도입한다. 학생들의 대답과 제시된 표현을 연결해서 설명하고, 다소 추상적인 표현들이 포함되어 있으므로 구체적인 상황을 예로 들어 제시한다. '여가 활동을 하면 생활이 어떻게 변할까? → 일, 일상생활만 하는 것이 아니라 특별한 일, 좋아하는 일을 하는 시간이 생김 → 생활이 지루하지 않고 기대하는 일이 생기고 즐거워짐 → 이런 상태를 '생활에 활기가 생기다'라고 할 수 있음'과 같이 설명할 수 있다.

□ **어휘 연습 및 활용**

- [기본 교재] 2번의 문제는 그림의 여가 활동의 장점을 연결해서 쓰는 것이다. 각 그림과 어울리는 장점을 학생들이 자유롭게 연결해서 쓰게 한다. 3번은 여가 활동의 장점을 고려해서 다른 사람에게 잘 맞는 여가 활동을 추천하는 말하기 활동이다. 제시된 예문을 보고 각 상황에 어울리는 여가 활동을 연결해서 말해 본다.
- [더하기 활동 교재]는 [기본 교재]에서 말한 것을 다시 정리해서 쓸 수 있는 활동이다. 추천하고 싶은 여가 활동과 그 활동의 장점, 이 활동을 추천하고 싶은 사람과 같이 학생들이 [기본 교재]에서 말해 본 내용을 문장으로 써 보게 함으로써 여가 활동을 표현하는 어휘와 표현 사용의 정확성을 점검하고 언어 지식을 강화한다.

문법 1	-다 보면	96쪽

※ 이 문법은 형태 변화는 단순하지만 의미와 사용 맥락에 대해 상세한 설명이 필요하여 문법 2 항목에 비해 교수·학습 시간이 더 필요할 수 있다.

□ **문법 도입**

- 교재의 삽화 이용

교재의 삽화를 이용하여 목표 문법을 제시한다.

예 이 사람은 지금 뭐 하고 있어요? 언제 시작했어요? 언제까지 했어요? 이 사람이 빵을 만드는 일을 하는 동안 밤이 됐어요. 이 사람은 빵을 만드는 일이 너무 재미있어서 시간이 빨리 간다는 것을 알게 됐어요. 이 사람은 빵을 만들다 보면 시간이 금방 간다는 것을 느꼈어요.

- 교재에 제시된 예문 이용

삽화에 사용된 예문을 제외한 나머지 두 개의 예문을 이용하여 질문하고 학습자가 목표 문법을 사용하여 대답할 수 있도록 유도한다.

예 새로운 일을 시작하면 어떻게 해야 하는지 잘 몰라요. 하지만 일을 계속 하면 어떻게 돼요? (일하는 방법을 배울 수 있다) 그래서 일을 하다 보면 금방 배울 수 있어요.
게임을 하는 동안 이 사람은 어떤 상태가 되었어요? (스트레스가 풀렸다) 이 사람은 게임을 하다 보면 스트레스가 풀려요.

□ **문법 설명**

- 의미: 어떤 행동을 하는 과정 중에 상태가 변화하거나 새로운 것을 깨닫게 됨을 표현할 때 사용한다.
- 예문: 친구와 이야기를 하다 보면 시간 가는 줄 몰라요.
이 길로 쭉 가다 보면 큰 공원이 나와요./나올 거예요. 외국어를 배우다 보면 다른 나라의 문화를 더 잘 이해할 수 있어요.
책이 조금 어려워서 읽다 보면 모르는 단어도 나올 거예요.
- 제약

① 형용사와 결합하지 않는다.

예 날씨가 춥다 보면 감기에 걸리는 사람이 많아요. (×)

- 확장

'-다 보니까'를 사용하면 어떤 행동을 하는 과정을 통해서 도달한 상태를 결과로 표현할 수 있다. 이 경우 후행절에는 반드시 과거를 나타내는 '-았/었-'이 사용된다.

예 이 길로 쭉 가다 보니까 큰 공원이 나왔어요.
외국어를 배우다 보니까 다른 나라의 문화를 더 잘 이해하게 됐어요.

'-(으)면'에 비해 '-다 보면'을 사용하면 선행절에 오는 행위의 반복성이나 지속성을 강조할 수 있다.

예 친구와 이야기를 하면 시간 가는 줄 몰라요.
친구와 (몇 시간 동안 계속해서) 이야기를 하다 보면 시간 가는 줄 몰라요.

문법 2	-더라고요	97쪽

※ 이 문법은 형태 변화 및 제약이 비교적 단순하여 첫 번째 문법에 비해 교수·학습 시간을 짧게 구성할 수 있다.

□ **문법 도입**

- 교재의 삽화 이용

교재의 삽화를 이용하여 목표 문법을 제시한다.

예 여자는 서점에서 이 책이 베스트셀러인 것을 봤어요. 주노 씨는 이 책을 읽어 봤는데 재미가 없었어요. 두 사람이 자신이 경험해서 알게 된 것을 말해요. 이 책이 요즘 인기가 많더라고요. 별로 재미가 없더라고요.

- 교재에 제시된 예문 이용

삽화에 사용된 예문을 제외한 나머지 두 개의 예문을 이용하여 질문하고 학습자가 목표 문법을 사용하여 대답할 수 있도록 유도한다.

예 이 사람은 도서관에서 공부를 해 보고, 카페에서도 공부를 해 봤어요. 어디에서 더 집중이 잘 됐어요? (카페) 그래서 친구에게 자신의 경험을 이야기해요. 카페가 집중이 더 잘 되더라고.

□ **문법 설명**

- 의미: 과거에 직접 경험해서 알게 된 사실을 지금 말하여 전달할 때 사용한다.
- 예문: 주노 씨가 오늘 출근을 안 했더라고요.
새로 생긴 식당이 맛있더라고요.
오늘 아침은 어제보다 안 춥더라고.
어제 사무실 앞에서 큰 사고가 났더라고.
- 제약:

① 자신이 직접 경험한 일을 표현할 때만 사용할 수 있다.

예 안나 씨가 말하는 것을 들어 보니까 새로 생긴 식당이 맛있더라고요. (×)

- 확장: 반말로 사용할 때는 '-더라', '더라고'의 형태로 사용할 수 있다.

예 어제 사무실 앞에서 큰 사고가 났더라. - 어제 사무실 앞에서 큰 사고가 났더라고.

활동	98~99쪽

□ [기본 교재] 활동 1은 여가 활동에 대한 대화를 듣고 자신이 실제 주로 하는 여가 활동을 이야기하는 활동이다. 듣기 활동을 하면서 여가 활동의 내용과 장점을 말할 때 사용하는 표현을 확인한다. 말하기 활동에서는 주로 하는 여가 활동과 여가 활동을 시작한 계기, 장점에 대해 대화하며 이 단원에서 배운 어휘와 표현을 사용해 볼 수 있다. 활동 2는 여가 활동으로 요가 수업을 소개하

는 글을 읽는 활동이다. 실제적 자료를 읽고 여가 활동에 대한 정보를 찾을 수 있다.

□ [더하기 활동 교재]에서는 듣기 자료와 읽기 자료를 통해 여가 활동과 관련된 여러 정보를 얻을 수 있다. 전화 대화, 개인 제작 영상물 방식의 듣기 자료, 인터뷰 등 다양한 매체에서 사용되는 한국어를 접할 수 있다. 여가 활동에 대한 다양한 이야기를 접한 후 학생들은 여가 활동의 장점을 중심으로 여가 활동이 필요한 이유를 글로 써 볼 수 있다.

이렇게 말해요	학원을 끊다	100쪽

□ '학원을 끊다'는 중의적 의미를 가진 표현이다. 무언가를 배우기 위해 학원에 등록하는 경우와 다니던 학원에 재등록하지 않고 수강을 중단하는 경우에도 같은 표현을 사용함을 설명한다.

□ **한국 문화**

'문화센터'와 같은 여가와 관련된 활동을 배울 수 있는 대표적인 기관이나 단체를 소개한다. 백화점 등 상업 시설에서 운영하는 문화센터, 지자체를 중심으로 한 주민 대상 문화센터 등의 형태를 소개하고 인기 있는 프로그램을 예를 들어 설명할 수 있다.

이 영화를 꼭 보라고 추천하고 싶다

어휘와 표현	대중문화와 감상	103쪽

□ **어휘 제시**

- 대중문화와 관련된 어휘와 표현을 제시한다.
- 여러 대중문화의 장르를 나타내는 명칭 및 영화와 드라마 감상을 나타내는 표현들이 제시되어 있다.

1) 학생들이 관심을 가지고 있는 대중문화 장르를 영화와 드라마, 공연, 음악 크게 세 부류로 나누어서 이야기하며 각각의 한국어 명칭을 제시한다. 외래어가 다수 포함되어 있으므로 '발라드'와 같이 해당 단어가 의미하는 바가 원어와 다른 것에 유의하여 제시한다.

2) 학생들이 잘 알고 있는 영화나 드라마 한 편을 정하고 그것과 연관 지어 설명할 수 있는 표현들을 하나씩 제시한다. 긍정적인 감상 내용과 함께 '지루하다', '기대에 못 미치다', '뻔하다'와 같이 부정적인 표현이 포함되어 있으므로 이러한 표현 역시 감상을 말할 때 사용할 수 있음을 제시한다.

□ **어휘 연습 및 활용**

- [기본 교재] 2번의 문제는 그림으로 제시된 영화의 한 장면을 보고 위에서 배운 표현을 사용하여 이에 대한 감상을 간단한 문장으로 쓰는 활동이다. 각 장면에 대한 학생들의 감상을 간단히 묻고 이를 문장으로 써 보게 한다. 3번은 자신이 좋아하는 장르의 영화, 드라마를 앞서 배운 어휘와 표현을 사용해서 표현하는 연습이다. 먼저 학생들이 좋아하는 장르는 무엇인지, 그리고 그 장르를 왜 좋아하는지 생각해 보게 한 후 배운 어휘와 표현을 사용해서 말해 본다.
- [더하기 활동 교재]에서는 [기본 교재]에서 배운 어휘와 표현을

유형에 따라 분류하며 그 의미를 다시 한 번 정리하게 하는 활동을 한다. 또한 실제 자신이 감상한 영화나 드라마에 대해 배운 어휘와 표현을 사용해서 문장으로 써 보면서 언어 지식을 강화할 수 있다.

문법 1	-는다/ㄴ다/다	104쪽

※ 이 문법은 사용 빈도와 중요도가 높은 항목이고 다양한 형태 변화를 익혀야 하므로 문법 2 항목에 비해 교수·학습 시간이 더 필요할 수 있다.

□ **문법 도입**

- 교재의 삽화 이용

교재의 삽화를 이용하여 목표 문법을 제시한다.

예 여기에 뭐라고 쓰여 있어요? (한국어를 배우는 사람이 늘어나고 있다) 이게 뭐예요? (신문) 신문이나 책에 나오는 문장은 말할 때 사용하는 것과 조금 달라요. '-다'로 끝나요.

- 교재에 제시된 예문 이용

삽화에 사용된 예문을 제외한 나머지 두 개의 예문을 이용하여 질문하고 학습자가 목표 문법을 사용하여 대답할 수 있도록 유도한다.

예 나는 책을 좋아해요. 그래서 시간이 날 때마다 책을 봐요. 선생님이 좋아하는 것에 대해 글을 쓰라고 했어요. 그때 어떻게 써요? (영화를 좋아한다. 영화를 본다.)

□ **문법 설명**

- 의미: 뉴스 기사, 보고서 등 주로 격식을 갖춘 글을 쓰는 상황에서 문장을 끝맺을 때 사용한다.

- 예문: 한국은 여름에 비가 자주 온다.
  작년 여름에는 비가 많이 왔다.
  올해는 비가 많이 오지 않을 것이다.
  비가 와서 날씨가 춥다.
  어제는 날씨가 많이 추웠다.

- 확장

명사는 '(이)다'의 형태로 사용한다.

예 한국을 대표하는 음식은 김치다.
한국 사람들이 여름에 자주 먹는 음식 중 하나는 냉면이다.

문법 2	-(으)라고 하다	105쪽

※ 이 문법은 형태 변화 및 제약이 비교적 단순하여 문법 1 항목에 비해 교수·학습 시간을 짧게 구성할 수 있다.

□ **문법 도입**

- 교재의 삽화 이용

교재의 삽화를 이용하여 목표 문법을 제시한다.

예 의사가 환자에게 뭐라고 말했어요? (운동하지 말고 쉬세요.) 이 환자의 친구가 질문해요. "병원에서 의사 선생님이 뭐라고 하셨어?" "의사 선생님이 운동하지 말고 쉬라고 하셨어."

- 교재에 제시된 예문 이용

삽화에 사용된 예문을 제외한 나머지 두 개의 예문을 이용하여 질문하고 학습자가 목표 문법을 사용하여 대답할 수 있도록 유도한다.

예 마크가 말했어요. "이 영화가 재미있으니까 꼭 봐." 저는 마크의 이야기를 못 들었어요. 그래서 여러분에게 질문해요. 마크가 뭐라고 말했어요? (마크가 이 영화를 꼭 보라고 했어요.)

□ **문법 설명**

- 의미: 명령이나 권유 등의 내용을 전달할 때 사용한다.

- 예문: 감기에 걸렸을 때는 물을 많이 마시라고 했어요.
  감기를 예방하기 위해서는 손을 자주 씻으라고 말한다.
  내일까지 이 책을 다 읽으라고 했어요.
  저녁에 먹을 음식을 만들라고 했다.

- 확장: '-지 마세요'로 말한 것을 전달할 때는 '-지 말라고 하다', '-아/어 주세요'로 말한 것을 전달할 때는 '-아/어 달라고'를 사용한다.

  예 (의사) 매운 음식을 많이 먹지 마세요. → 의사 선생님이 매운 음식을 많이 먹지 말라고 했어요.
  (내가 친구에게 말함) 책 좀 빌려줘. → (나는) 친구에게 책을 빌려 달라고 했어요.

활동	106~107쪽

□ [기본 교재] 활동 1은 라디오 인터뷰 대화를 듣고 새로 나온 공연과 출연 배우에 대한 정보를 파악하는 활동이다. 활동 2에서는 실제적 텍스트로서 짧은 영화 감상 후기(리뷰)를 읽고 학생들도 같은 유형의 글을 써 볼 수 있다. 두 가지 활동 모두 한국의 대중문화와 관련된 주제를 다룬 실제적인 특성을 가진 텍스트를 제시하고 있다.

□ [더하기 활동 교재]에서도 영화와 공연, 웹툰에 대한 텍스트를 통해 한국의 대중문화와 관련된 주제를 다룬다. 듣기 활동을 통해서는 서로 다른 특징을 가진 영화의 장르에 대한 대화와 공연에 대한 소식을 듣고, 읽고 말하기 활동을 통해서는 실제 웹툰을 소개하는 글을 읽을 수 있다. 이러한 다양한 자료를 접하며 학생들은 한국의 대중문화에 대한 자신의 실제 경험과 감상을 이야기할 수 있다.

이렇게 말해요	강추	108쪽

□ '강추'는 줄임말로 줄이기 전의 원형이 가진 의미를 풀어서 설명한다. '강추' 외에도 자주 사용되는 줄임말, 유행어를 함께 소개할 수 있다. 유행어는 시기에 따라 달라지므로 교수·학습 시점에서 실제 사용되는 것으로 소개한다. (핵꿀잼, 노잼 등을 소개할 수 있으나 더 이상 사용되지 않는 유행어는 제시하지 않는다.)

□ **한국 문화**

대표적인 한국 대중문화 작품이나 현 시점에서 화제가 되고 있는 한국 대중문화 작품을 소개한다.

할아버지, 할머니 이야기도 들어 드렸어요

어휘와 표현	방학에 하는 활동	15쪽

□ **어휘 제시**

- 주로 한국의 대학생들이 방학 중에 하는 활동을 나타내는 표현으로 구성되어 있다. 한국과 비교하여 현지의 대학생들은 주로 어떤 활동을 하는지 상기시키고 이와 연결하여 이미지를 떠올리게 하며 어휘를 제시할 수 있다. 방학에 대학생이 하는 활동이 한국과 현저히 다른 경우 한국의 상황을 설명하고 어휘를 도입한다. 한국 학생들은 방학 동안 취업에 도움이 되는 활동, 자기 계발 활동, 학기 중에 해 보지 못한 새로운 경험을 하는 경우가 많다는 설명과 함께 제시된 표현을 설명한다. '보람을 느끼다, 시간을 알차게 보내다, 잊지 못할 경험을 하다'는 활동을 통해 얻게 되는 감정, 생각 등을 표현하는 것이므로 활동을 나타내는 표현과 구분하여 제시한다.

  ⓔ 학생 OO는 방학 동안 하고 싶은 일이 많았어요. 주중에는 아르바이트를 하고 주말에는 봉사 활동을 했어요. 아르바이트해서 모은 돈으로 여행도 다녀왔어요. 방학 동안 시간을 알차게 보냈어요.

□ **어휘 연습 및 활용**

- 어휘 학습이 끝나면 [기본 교재] 2번과 3번 문제를 확인한다. 2번은 그림을 보고 그림과 연결되는 표현을 쓰는 연습이다. 그림 1)은 인턴 활동, 그림 2)는 봉사 활동, 그림 3)은 아르바이트, 그림 4)는 배낭여행을 의미한다. 2번 연습을 통해 이 단원에서 제시된 어휘와 표현의 의미를 정리했다면 3번 연습에서는 배운 어휘와 표현을 활용해서 간단한 말하기 연습을 할 수 있다. 현재 혹은 과거에 자신이 방학 중 경험한 것을 이야기해 보도록

한다.

- [더하기 활동 교재]에서는 어학연수, 아르바이트, 여행으로 방학 중 활동을 구분하고 각 활동과 연관성 있는 어휘와 표현을 정리하며 언어 지식을 강화할 수 있다. 또한 [기본 교재]에서 말하기 한 내용을 다시 한 번 문장으로 정리해서 써 봄으로써 정확성을 점검하고, 말하기를 다시 해 보고 유창성을 높인다.

문법 1	-아도/어도	16쪽

※ 문법 1 항목은 형태 변화는 단순하지만 의미와 사용 맥락에 대해 상세한 설명이 필요하여 문법 2 항목에 비해 교수·학습 시간이 더 필요할 수 있다.

□ **문법 도입**

- 교재의 삽화 이용

교재의 삽화를 이용하여 목표 문법을 제시한다.

예 두 번째 대화문의 사람은 무슨 음식을 좋아하는 것 같아요? (떡볶이) 그래서 매일 매일 떡볶이를 먹어요. 매일 같은 음식을 먹으면 어때요? 항상 좋아요? 가끔 다른 음식도 먹고 싶어요. 하지만 이 사람은 매일 먹어도 떡볶이가 좋아요. 매일 먹어도 질리지 않아요.

- 교재에 제시된 예문 이용

삽화에 사용된 예문을 제외한 나머지 두 개의 예문을 이용하여 질문하고 학습자가 목표 문법을 사용하여 대답할 수 있도록 유도한다.

예 이 회사는 한국하고 무역을 하는 회사예요. 이 회사에서 인턴을 하려면 한국어를 잘해야 해요? (네.) 보통 그렇게 생각해요. 하지만 이 회사는 아니에요. 한국어를 잘 못해도 인턴 활동을 할 수 있어요.
보통 피곤하면 아침에 늦게 일어날 수 있어요. 그런데 이 사람은 그렇지 않아요. 피곤해도 매일 아침 7시에 일어나요.

□ **문법 설명**

- 의미: 앞 절에서 말하는 사실이나 가정에 대한 기대가 어긋남을 나타낼 때 사용한다.

- 예문: 이 책이 너무 어려워서 여러 번 읽어도 이해가 잘 안 돼요.
비가 와도 축구 경기는 취소되지 않는다고 해요.
약을 먹어도 계속 배가 아프면 다시 병원에 오세요.
아무리 바빠도 주말에는 반드시 쉬어야 해요.
날씨가 추워도 바깥에서 운동하는 사람들이 많아요.

- 확장

'아무리 -아도/어도'의 형태로 사용하면 앞 절의 상황을 강조하는 의미를 나타낼 수 있다. 이 경우 주로 앞 절의 서술어는 형용사나 정도를 나타내는 부사가 동사와 함께 나타난다.

예 아무리 맛있어도 너무 많이 먹으면 안 돼요.
아무리 비가 많이 와도 축구 경기는 취소되지 않는다고 해요.

명사는 '이어도/여도', '(이)라도'의 형태를 사용해서 말한다.

예 고등학생이라도 성인보다 뛰어난 학생들도 많아요.
아무리 친한 친구라도 예의 없이 행동하는 것은 안 돼요.

문법 2	-아/어 드리다	17쪽

※ 문법 2 항목은 형태 변화 및 제약이 비교적 단순하여 첫 번째 문법에 비해 교수·학습 시간을 짧게 구성할 수 있다.

□ **문법 도입**

- 교재의 삽화 이용

교재의 삽화를 이용하여 목표 문법을 제시한다.

예 이 사람은 선물을 샀어요. 누구에게 줄 선물이에요? (어머니) 어머니에게는 선물을 줘요? (아니요.) 어머니께 선물을 드려요. 어머니께 선물을 사 드려요.

- 교재에 제시된 예문 이용

삽화에 사용된 예문을 제외한 나머지 두 개의 예문을 이용하여 질문하고 학습자가 목표 문법을 사용하여 대답할 수 있도록 유도한다.

예 팀장님이 주노 씨에게 '회의 자료 좀 메일로 보내 주세요.'라고 말했어요. 주노 씨는 팀장님에게 회의 자료를 어떻게 해요? (보내 드려요.)
목도리를 만들었어요. 그 목도리를 할아버지께 드렸어요. 이 사람은 목도리를 할아버지께 어떻게 했어요? (만들어 드렸어요.)

□ **문법 설명**

- 의미: 다른 사람을 위해서 하는 행동이나 다른 사람에게 도움이 되는 행동을 함을 나타낼 때 사용한다. 주로 윗사람 등 높여서 말해야 하는 사람을 위해서 하는 행동을 나타낼 때 사용한다.

- 예문: 제가 한국 음식 만드는 걸 가르쳐 드릴게요.
자세한 내용은 이메일로 알려 드리겠습니다.
부모님을 위해서 그림을 그려 드렸어요.
그 책이 어디에 있는지 제가 찾아 드릴게요.
저희가 짐 옮기는 것을 도와드릴게요.

- 확장

'-아/어 드리다'는 '-아/어 주다'의 높임 표현이므로 행위의 대상을 표현할 때 '에게' 대신 '께'를 사용할 수 있다.

예 친구에게 선물로 장갑을 만들어 줬어요.
어머니께 선물로 장갑을 만들어 드렸어요.

활동	18~19쪽

□ [기본 교재] 활동 1은 방학 중에 봉사 활동한 경험에 대해 듣는 활동이며, 활동 2는 또 다른 봉사 활동이라 할 수 있는 재능 기부에 대한 글을 읽는 활동이다. 봉사 활동을 중심으로 다른 사람을 위해 하는 활동 및 특별한 경험을 이 단원에서 배운 어휘와 표현을 사용해서 어떻게 나타내는지 확인할 수 있다. 활동 1은 봉사 활동에 대해 들은 후 자신의 경험을 말하는 활동이지만, 봉사 활동 경험이 없는 학생의 경우 자신이 경험해 보고 싶은 봉사 활동에 대해 이야기할 수 있다.

□ [더하기 활동 교재]는 봉사 활동 외에도 인턴 활동, 영화제 자원봉사, 문화 체험 등 다양한 활동 경험에 대해 알아볼 수 있는 텍스트로 구성되어 있다. 읽고 말하기 활동을 통해서는 한국의 템플스테이라는 문화 체험 활동을 소개하고 학생들이 관심을 가지고 있는 한국의 전통문화에 대해 확장해서 이야기해 볼 수 있다.

이렇게 말해요	고수	20쪽

□ '고수'와 대비되는 표현으로 '하수'가 있음을 알려 줄 수 있다. 단, 사용 빈도가 높지 않고 비하의 의미를 담는 경우가 있으므로 이 점에 유의해서 제시한다. '고수'와 유사하게 어떤 일에 능통한 사람을 가리킬 때 사용하는 구어적 표현으로는 '○○ 천재', '○○ 박사'와 같은 것이 있음을 함께 알려 줄 수 있다.

□ **한국 문화**

템플스테이 외에 한국에서 체험할 수 있는 여러 문화, 지역 체험 행사를 소개할 수 있다.

예 보령 머드 축제, 정동진 일출 행사, 궁중 문화 축전 등

3B 02

티켓을 구하는 게 쉽지 않았을 텐데 어떻게 구했어요?

어휘와 표현	팬클럽 활동	23쪽

□ **어휘 제시**

- '팬클럽 활동'과 관련된 다양한 표현을 제시하였다. 제시된 어휘들은 크게 세 종류로 분류할 수 있다. 첫 번째는 좋아하는 스타를 만날 수 있는 행사, 두 번째는 팬클럽 활동, 세 번째는 스타의 공연을 본 소감과 관련된 표현이다.

1) 좋아하는 가수를 어디에서 봤는지 혹은 어디에서 볼 수 있는지 질문하면서 '콘서트/공연, 사인회, 팬 미팅'을 제시한다.
2) 좋아하는 가수를 만나기 위해, 그 가수와 좀 더 가깝게 소통하기 위해 어떻게 팬클럽 활동을 하는지 이야기하며 팬클럽 활동과 관련된 단어를 제시한다.
3) 좋아하는 가수의 콘서트나 공연을 다시 상기시키며 '감동적이다, 인상적이다, 환상적이다'와 같은 표현을 제시한다.

목표 표현의 의미를 익힌 후 학습자는 교사가 읽는 목표 표현들을 하나씩 따라 읽는다.

□ **어휘 연습 및 활용**

- 어휘 학습이 끝나면 [기본 교재] 2번과 3번 문제를 확인한다. 2번은 그림을 보고 적절한 어휘를 쓰는 활동으로, 앞서 학습한 어휘의 의미를 확인할 수 있다. 3번은 말하기 활동으로 좋아하는 가수의 팬클럽에 가입해서 해 보고 싶은 활동을 상상하며 친구들과 자유롭게 이야기해 볼 수 있다. 교사는 3번 활동이 유의적 활동이 되도록 학습자에게 적절한 피드백을 제공하고 잘하는 팀은 발표를 시킬 수 있다.
- [기본 교재]의 쓰기와 말하기 활동이 끝나면 [더하기 활동 교재] 활동을 이어 할 수도 있다. 여기에서는 콘서트/공연 소감과

관련된 실제적인 표현을 좀 더 익힐 수 있다. 하단에 제시되어 있는 새 어휘의 의미를 학습한 후에 어휘장을 통한 단어 연습이나 문장 단위 쓰기 연습을 통해 지식 강화 훈련을 하면 된다.

- 확장

'-(으)ㄹ까 봐' 다음에 '걱정이다/고민이다, 걱정하다/고민하다'와 같은 표현을 자주 사용한다.

문법 1	-(으)ㄹ까 봐	24쪽

□ **문법 도입**

- 교재의 삽화 이용

교재의 삽화를 이용하여 목표 문법을 제시한다.

예 두 사람은 7시 반에 만나기로 했어요. 그런데 남자는 일찍 출발해서 6시 55분에 도착했어요. 남자는 왜 일찍 출발했어요? 7시는 퇴근 시간이라서 차가 많아요. 남자는 '차가 많이 막힐 것 같아요.' 이렇게 걱정했어요. 그래서 일찍 출발했어요. 이럴 때 '차가 많이 막힐까 봐 일찍 출발했어요.' 이렇게 말해요.

- 교재에 제시된 예문 이용

삽화에 사용된 예문을 제외한 나머지 두 개의 예문을 이용하여 질문하고 학습자가 목표 문법을 사용하여 대답할 수 있도록 유도한다.

예 마리 씨는 왜 급하게 갔어요? 무엇을 걱정했어요? '콘서트에 늦을 수도 있어요.' 이런 생각을 하며 걱정을 했어요. 이럴 때 '-(으)ㄹ까 봐'를 사용해서 어떻게 말해요?

□ **문법 설명**

- 의미: '-(으)ㄹ까 봐'는 아직 일어나지 않은 걱정이 되는 상황, 두려운 상황과 같은 부정적인 상황을 미리 추측하면서 후행절의 상황, 상태에 대한 이유를 나타낼 때 사용한다.
  * '-(으)ㄹ까 봐서'로 말할 수도 있다.

- 예문: 비가 올까 봐 우산을 가져왔어.
  기다릴까 봐 뛰어왔어요.
  시험에 떨어질까 봐 걱정이에요.

- 제약

① '-(으)ㄹ까 봐'는 긍정적인 상황을 추측할 때는 쓸 수 없고 걱정이 되는 상황, 두려움을 느끼는 등 부정적인 상황에 대한 추측으로만 사용한다.

예 매운 음식을 좋아할까 봐 떡볶이를 주문했어요. (×)
매운 음식을 못 먹을까 봐 안 매운 음식을 주문했어요. (○)

② '-(으)ㄹ까 봐'는 이미 일어난 상황, 상태에 대해서만 쓸 수 있으므로 후행절에 '미래 계획'을 쓰거나 '-(으)세요, -(으)ㅂ시다'를 쓸 수 없다.

예 차가 막힐까 봐 학교에 일찍 가요. (○)
차가 막힐까 봐 학교에 일찍 왔어요. (○)
차가 막힐까 봐 학교에 일찍 갈 거예요. (×)
차가 막힐까 봐 일찍 갑시다. (×)
차가 막힐까 봐 일찍 가세요. (×)

문법 2	-(으)ㄹ 텐데	25쪽

□ **문법 도입**

- 교재의 삽화 이용

교재의 삽화를 이용하여 목표 문법을 제시한다.

예 지금은 아침이에요. 창문 밖 날씨가 어때요? 구름이 아주 많아요. 남자는 '이따 오후에 비가 많이 올 것 같아요.' 이렇게 생각하면서 여자한테 말해요. '오후에 비가 많이 올 텐데 우산을 가지고 가세요.' 이렇게 아직 일어나지 않은 일을 추측하면서 말할 때 '-(으)ㄹ 텐데'를 사용해요.

- 교재에 제시된 예문 이용

삽화에 사용된 예문을 제외한 나머지 두 개의 예문을 이용하여 질문하고 학습자가 목표 문법을 사용하여 대답할 수 있도록 유도한다.

예 준호 씨는 중요한 시험을 봐요. 미나 씨는 '준호 씨가 시험에 합격하면 정말 좋을 것 같아요.' 이렇게 생각해요. 어떻게 말해요?

□ **문법 설명**

- 의미: '-(으)ㄹ 텐데'를 사용해서 말하는 사람의 추측을 나타내면서 그와 관련된 내용을 뒤에서 이어 말할 때 사용한다.

- 예문: 바쁠 텐데 도와줘서 고마워요.
  미나 씨가 벌써 왔을 텐데 빨리 갑시다.
  이 음식은 좀 매울 텐데 괜찮겠어요?

- 확장

① '-(으)ㄹ 텐데'는 문장의 끝에서 '-(으)ㄹ 텐데요'로 사용할 수도 있다.

예 시험이 어려울 텐데요.
주말에는 사람이 많을 텐데요.

② 3A 4과에서 배운 문법 '-(으)ㄹ 테니까'는 추측뿐만 아니라 의지도 나타낼 수 있지만 '-(으)ㄹ 텐데'는 추측의 기능만 가진다.

예 날씨가 추울 테니까 두꺼운 옷을 입으세요. (○)
날씨가 추울 텐데 두꺼운 옷을 입으세요. (○)
제가 요리할 테니까 민호 씨는 설거지를 하세요. (○)
제가 요리할 텐데 민호 씨는 설거지를 하세요. (×)

활동	26~27쪽

□ [기본 교재] 활동 1은 공연을 보고 난 후 소감에 대한 듣기 활동이고 활동 2는 연예인과 함께하는 바자회 홍보 포스터를 읽고 핵심 정보를 파악하는 읽기 활동이다. 듣기 활동을 통해 목표 어휘와 목표 문법을 유의미한 맥락에서 이해하고, 읽기 활동을 통해 홍보 포스터의 형식과 행사 홍보 게시물에 자주 사용되는 어휘 및 표현을 익혀 전략적인 읽기 연습을 한다.

□ [기본 교재]의 듣기 활동을 한 후 [더하기 활동 교재]의 듣기 활동을 하며 팬클럽 활동과 관련된 목표 문법과 표현을 심화 확장할 수 있다. [기본 교재] 읽기 활동을 마친 후 [더하기 활동 교재]에서 신문 기사 '블루 첫 미국 투어 성공적으로 끝마쳐'를 읽고 콘서트/공연과 관련된 다양한 표현을 확장하고 나아가 신문 기사 문체의 특성도 파악할 수 있다.

□ 2단원에서 배운 문법과 표현을 충분히 활용하여 인상적으로 봤던 콘서트나 공연에 대한 소감을 쓰는 활동을 한다. 본격적인 쓰기 활동을 하기 전에 각자 자기가 본 공연의 인상적이었던 점에 대해 자유롭게 의견을 나누며 쓰기 내용 및 구성, 사용할 표현 등에 대해 생각해 볼 수 있다.

이렇게 말해요	떼창	28쪽

□ '떼창'은 여러 명이 떼를 지어 한 목소리로 같은 노래를 부르는 것을 말한다. 한국 관객들이 공연에서 가수와 하나가 되어 열정적으로 노래를 따라 부르는 것이 주목을 받으며 떼창은 한국의 공연 문화에서 빠질 수 없는 상징이 되었다.

□ **한국 문화**

떼창과 연계해 관객과 공연자가 자유롭게 소통하는 한국의 전통 공연 탈춤, 마당극, 판소리 동영상을 짧게 보며 소개한다. 탈춤과 마당극은 관객과 무대가 명확히 구분되지 않고 관객이 공연에 자유롭게 참여할 수 있다. 배우들이 관객석에 들어가 관객에게 말을 걸기도 하고 때로는 관객이 먼저 배우에게 말을 걸기도 한다. 또한 판소리 같은 공연에서도 관객들은 '얼씨구!', '좋~다!', '그렇지!' 등의 추임새를 넣어 가창자 및 연주자와 소통해 왔다.

매운 음식을 진짜 잘 먹는구나

어휘와 표현	맛과 식감	31쪽

□ **어휘 제시**

- 음식의 '맛'과 관련된 어휘와 표현을 제시하고 있다.
- 왼쪽에는 음식의 맛을 표현할 때 사용할 수 있는 대표적인 어휘들이 제시되어 있고, 오른쪽에는 맛과 관련된 확장 표현들로 구성되어 있다.

1) '맛'을 대표하는 어휘들로 구성되어 있다. 어휘와 함께 그 맛을 대표하는 음식 그림도 함께 제시되어 있다. 어휘 학습이 끝나면 학생들과 이러한 맛을 가진 또 다른 음식에 대해 이야기를 나누는 것도 좋다.

   예 레몬이 셔요. 여러분은 또 어떤 음식이 셔요?

2) 제시된 어휘들을 크게 세 종류로 분류할 수 있다. 처음에는 '맛'의 확장 표현이 제시되어 있고, 이어서 식감, 그리고 그 음식을 먹고 난 후에 우리 몸이 느끼는 변화를 표현할 때 사용할 수 있는 어휘들로 구성되어 있다.

   ① 맛을 대표하는 어휘들에서 확장해서 가르치면 된다.

   예 달다-달콤하다, 맵다-매콤하다
짜다 ⇔ 싱겁다 등

   ② '식감'과 관련된 어휘는 두 개가 제시되어 있다. '바삭하다'와 '부드럽다'는 해당 식감을 가진 음식 사진을 보여 주면서 설명한다.

   예 (튀김 사진을 보여 주면서) 튀김이 바삭해요.

   ③ 특정 음식을 먹고 난 후 그 음식의 영향으로 우리 몸이 달라지는 것을 느낄 수 있다. 이와 관련된 표현이 세 개가 제시되어 있고, 자주 사용되는 표현들이므로 의미 전달에

신경 쓴다.

예 매운 음식을 먹고 난 후에 입안이 얼얼해요. 그리고 시간이 지나면 속도 쓰려요.

□ **어휘 연습 및 활용**

- 어휘 학습이 끝나면 [기본 교재] 2번과 3번 문제를 확인한다. 2번은 음식 그림을 보고 해당 맛이나 식감을 찾는 활동으로, 앞서 학습한 어휘의 의미를 확인할 수 있다. 3번은 배운 어휘를 이용하여 친구에게 음식을 추천하는 말하기 활동이다.
- [기본 교재]의 쓰기와 말하기 활동이 끝나면 [더하기 활동 교재] 활동을 이어 하면 된다. 맛에 해당하는 음식을 써 보거나 특정한 날이나 상황에서 먹고 싶은 음식 쓰기를 통해 문장 단위 연습을 할 수 있다.

문법 1	-거든요	32쪽

□ **문법 도입**

- 교재의 삽화 이용

교재의 삽화를 이용하여 목표 문법을 제시한다.

예 두 사람이 대화를 하고 있어요. 여자가 배가 부른 거 같아요. 왜요? 간식을 먹었어요. 친구가 밥 먹으러 가자고 했어요. 그런데 나는 배가 불러요. 그래서 지금 밥을 먹고 싶지 않아요. 그러면 친구에게 왜 지금 먹고 싶지 않은지 이유를 말해야 해요. 이때 '-거든요'를 써서 이야기하면 돼요. 그림을 보세요. 이렇게 말하면 돼요. '사실은 아까 간식을 먹었거든.' 다른 사람에게 이유를 말할 때 '-거든요'를 써요.

- 교재에 제시된 예문 이용

삽화에 사용된 예문을 제외한 나머지 두 개의 예문을 이용하여 질문하고 학습자가 목표 문법을 사용하여 대답할 수 있도록 유도한다.

예 다음 주에 시험이 있어요. 그래서 도서관에 가요. '거든요'를 이용해서 어떻게 말해요?

□ **문법 설명**

- 의미: 앞에서 말하거나 물은 내용에 대해 말하는 사람이 그 이유나 생각, 사실을 나타낼 때 사용한다.
- 예문: 안 맵게 해 주세요. 매운 음식을 잘 못 먹거든요.
  다음 주에 만나면 안 될까요? 이번 주는 일이 많거든요.
  저는 이 드라마를 좋아해요. 제가 좋아하는 배우가 나오거든요.
- 제약 및 확장

① '-거든요'는 대화에서 자주 사용되며, 듣는 사람이 모르는 정보를 말할 때 사용한다.

예 가: 김치를 안 먹어요?
나: 네. 저는 매운 음식을 못 먹거든요.
('가'는 '나'가 매운 음식을 못 먹는지 모른다.)

② 듣는 사람도 아는 정보를 말할 때에는 '-잖아요'를 사용하면 된다.

예 가: 오늘 영화 보러 갈래요?
나: 미안해요. 오늘은 공부하러 도서관에 가야 해요. 내일 시험이 있잖아요.
(시험이 있다는 사실을 말하는 사람도 듣는 사람도 모두 알고 있다.)

문법 2	-는구나/구나	33쪽

□ **문법 도입**

- 교재의 삽화 이용

교재의 삽화를 이용하여 목표 문법을 제시한다.

예 남자가 요리를 했어요. 무슨 요리예요? 불고기예요. 친구가 남자의 요리를 보고 이렇게 (엄지를 치켜 올리며) 말했어요. '정말 요리를 잘하는구나.' '-는구나'는 감탄을 표현할 때 사용하는 문법이에요.

- 교재에 제시된 예문 이용

삽화에 사용된 예문을 제외한 나머지 두 개의 예문을 이용하여 질문하고 학습자가 목표 문법을 사용하여 대답할 수 있도록 유도한다.

예 유학 온 지 1년이 지났어요. 다음 달에 다시 한국으로 돌아갈 거예요. 이때 여러분은 무슨 말을 할 거 같아요?

□ **문법 설명**

- 의미: 아랫사람에게나 친구와 같이 친한 사이에서 새롭게 알게 된 사실에 대해 어떤 느낌을 실어 다른 사람에게 말하거나 혼잣말처럼 할 때 쓴다.
- 예문: 와! 지금 밖에 눈이 오는구나.
  이제 학교에 가는구나.
  또 지각했구나.
- 제약 및 확장

① 말하는 사람 자신이 주어인 경우 새롭게 알게 된 사실이 아니면 쓰일 수 없다.

예 나는 학교에 가는구나. (×)

② '-는구나'는 '-는군'으로 줄여 쓸 수 있다.

예 또 지각했군.

③ 감탄의 표현으로 '-다'와 '-는데'도 있다.

예 또 지각했다! 또 지각했는데!

활동	34~35쪽

□ [기본 교재] 활동 1은 좋아하는 음식에 대한 듣기 활동이고, 활동 2는 좋아하는 한국 음식에 대한 설문 조사 결과와 관련된 읽기 활동이다. 듣기 활동을 하면서 자신이 좋아하는 음식에 대해 말

할 수 있고, 읽기 활동을 하면서 한국인과 외국인이 좋아하는 한국 음식에는 어떤 것이 있는지 비교해서 이야기할 수 있다.

□ [기본 교재]의 듣기와 읽기 활동이 끝나면 [더하기 활동 교재]의 '쓰기' 활동을 이어서 한다. '쓰기' 활동의 주제는 '기억에 남는 음식'인데 [기본 교재]의 듣기와 읽기 활동 주제인 '좋아하는 음식'에 대한 활동 후에 이어 하기에 적합하다.

□ [더하기 활동 교재]에는 이외에도 음식과 관련된 다양한 주제들이 활동으로 구성되어 있다. '듣기'에서는 '맛집'이나 한국의 맛 표현 중 '시원하다'와 관련한 대화가 구성되어 있고, '읽고 말하기'에서는 '한국의 음식 문화'에 대해서 자세히 소개하고 있다.

이렇게 말해요	맛집	36쪽

□ '맛집'은 음식의 맛이 뛰어나기로 유명한 음식점을 말한다. 보통 '맛집'의 경우 유명하기 때문에 줄을 서서 오래 기다려서 먹는 경우가 많다. '맛집을 찾아다니다, 맛집을 소개하다' 등의 표현도 함께 익히면 좋다.

□ '맛집'과 함께 쓰이는 표현 중에 '입소문이 나다'라는 표현도 있다. 유명해서 사람들의 입으로 소문이 나는 경우 '입소문이 나다'라고 한다. '맛집'뿐만 아니라 영화가 유명해졌을 때에도 '영화가 재미있어서 입소문이 났다'라고 표현할 수 있다.

□ **한국 문화**

한국에는 명절이나 계절 또는 특정한 날에 먹는 음식이 있다.

예 설날 - 떡국, 추석 - 송편, 복날 - 삼계탕 등

채소부터 씻어서 썰어 놓자

어휘와 표현	조리 도구 및 조리법	39쪽

□ **어휘 제시**

- '조리 도구', '조리법'과 관련된 어휘와 표현들로 구성되어 있다.
- 왼쪽에는 요리할 때 사용하는 조리 도구들이, 오른쪽에는 재료 손질법이나 조리법에 대한 어휘가 제시되어 있다.

1) 요리할 때 필요한 조리 도구의 이름이 나열되어 있다. 사진 자료를 함께 제시하며 단어의 의미를 가르친다. 여기에 제시되어 있는 단어 이외에도 각 나라에서 많이 사용하는 조리 도구나 학습자가 주로 사용하는 조리 도구가 있을지도 모르니 학생들에게 질문하고 그 어휘를 한국어로 어떻게 표현할 수 있는지 알아본다.

예 여러분의 집에는 어떤 조리 도구가 있어요?

2) 제시된 어휘들은 크게 두 종류로 분류할 수 있다. 하나는 재료 손질법이고 다른 하나는 조리법과 관련된 어휘들이다.
먼저 요리를 할 때 재료를 손질하는 방법과 관련된 표현들이 제시되어 있다. 재료와 조리 도구를 이용해 해당 단어에 해당하는 손질 방법을 학습자에게 직접 보여 주는 것이 제일 좋겠지만 여의치 않을 경우 관련 동영상 자료를 준비하여 학습자에게 보여 주는 것도 가능하다.

예 과일을 준비해서 직접 깎는 모습을 보여 주거나 관련 동영상을 보여 줌.

'조리법' 역시 동영상 자료를 준비하여 학습자에게 보여 주는 것이 의미가 가장 쉽게 전달될 것이다. 의미 전달이 끝난 후 해당 조리법으로 조리할 수 있는 음식에는 무엇이 있는지 학습자와 이야기를 나누면 어휘를 익히는 데 도움이 된다.

예 '찌다'와 관련된 동영상을 보여 준 후 교재에 제시된 '만두를 찌다'를 가르친다. 이어서 쪄서 먹는 음식에는 어떤 것이 있는지 학생들과 이야기한다.

□ **어휘 연습 및 활용**

어휘 학습이 끝나면 [기본 교재] 2번과 3번 문제를 확인한다. 2번은 조리 도구와 관련된 그림을 보고 해당 어휘를 쓰는 활동이고, 3번은 음식과 조리 도구를 보고 해당 조리법을 이야기하는 말하기 활동이다. 이들 활동을 통해 앞서 학습한 어휘의 의미를 정확하게 이해하고 있는지 확인할 수 있다.

- [기본 교재]의 쓰기와 말하기 활동이 끝나면 [더하기 활동 교재] 활동을 이어 할 수도 있다. 식사 도구나 조리 도구를 사용 목적에 맞게 분류하거나 조리법을 이용한 음식들에 대한 쓰기 활동으로 문장 단위 쓰기 연습을 해 볼 수 있다.

문법 1	-아/어 놓다	40쪽

□ **문법 도입**

- 교재의 삽화 이용

교재의 삽화를 이용하여 목표 문법을 제시한다.

예 여러분, 이 남자는 지금 무엇을 하고 있어요? 요리하고 있어요. 요리하기 전에 무엇을 했을까요? 맞아요. 요리에 필요한 재료를 썰고 다졌어요. 그리고 썰고 다진 이 재료는 요리할 때까지 그대로예요. 이 남자는 요리를 하기 위해 재료를 준비해 놓았어요. 준비한 재료가 변화 없이 그대로 있는데, 이 때 '-아/어 놓다'를 사용해서 말할 수 있어요.

- 교재에 제시된 예문 이용

삽화에 사용된 예문을 제외한 나머지 두 개의 예문을 이용하여 질문하고 학습자가 목표 문법을 사용하여 대답할 수 있도록 유도한다.

예 맛집에서 줄을 서서 기다리지 않고 밥을 먹고 싶으면 어떻게 해야 할까요?

□ **문법 설명**

- 의미: 동사와 함께 쓰여 어떤 행위를 끝내고 그 상태를 유지함을 나타낼 때 사용한다.
- 예문: 주말에 등산 가기로 해서 운동화를 사 놓았어요.
  어젯밤에 난방을 꺼 놓아서 밤새 추웠어요.
  방을 깨끗이 정리해 놓고 놀러 나가려고 해요.
- 제약 및 확장

① 동사 '놓다'는 '-아/어 놓다'와 함께 쓸 수 없다. '놓다'를 쓸 경우에는 '-아/어 두다' 문법을 사용한다.

예 열쇠를 여기에 놓아 놓으세요. (×)
열쇠를 여기에 놓아 두세요. (○)

② 동사 '놓다'의 활용형 '놓아'와 '놓아서'는 '놔', '놔서'로 줄여서 쓸 수 있다.

예 어젯밤에 난방을 꺼 놔서 밤새 추웠어요.

문법 2	-(으)ㄴ 다음에	41쪽

□ **문법 도입**

- 교재의 삽화 이용

교재의 삽화를 이용하여 목표 문법을 제시한다.

예 집에 친구들이 왔어요. 남자가 친구들이 온 것을 보고 무엇을 해요? 맞아요. 요리해요. 친구들이 온 다음에 요리를 하기 시작했어요. 어떤 일을 먼저 한 후에 다음 일을 할 때 '-(으)ㄴ 다음에'를 사용해서 말해요.

- 교재에 제시된 예문 이용

삽화에 사용된 예문을 제외한 나머지 두 개의 예문을 이용하여 질문하고 학습자가 목표 문법을 사용하여 대답할 수 있도록 유도한다.

예 여러분, 안나 씨는 언제 한국으로 유학을 가요? 대학교를 졸업하고 유학을 가요. '-(으)ㄴ 다음에'를 이용하여 말해 보세요.

□ **문법 설명**

- 의미: 어떤 일이나 과정이 끝난 뒤임을 나타내는 표현이다.
- 예문: 밥을 먹은 다음에 이 약을 드세요.
  고등학교를 졸업한 다음에 바로 유학 가고 싶어요.
  이 책을 다 읽은 다음에 모여서 이야기해 봅시다.
- 제약 및 확장

① 조사 '에'가 생략된 '-은 다음'의 형태로도 쓰인다.

예 밥 먹은 다음 이 약을 드세요.

② 앞 문장과 뒤 문장의 주어가 같을 수도 있고 다를 수도 있다.

예 고등학교를 졸업한 다음에 (저는) 바로 유학 가고 싶어요.
비 온 다음에 산책하기 좋아요.

③ '-은 다음에'는 '-고 나서', '-은 후에', '-은 뒤에'로 바꿔 쓸 수 있다.

예 이 책을 다 읽은 다음에/읽고 나서/읽은 후에/읽은 뒤에 모여서 이야기해 봅시다.

활동	42~43쪽

□ [기본 교재]의 활동 1과 활동 2는 모두 한국 음식 요리와 관련된 내용이다. 활동 1은 떡볶이를 만드는 방법에 대한 듣기 활동이고, 활동 2는 비빔밥을 만드는 방법에 대한 읽기 활동이다. 듣기와 읽기 활동을 통해 이번 단원에서 배운 어휘와 표현, 문법을 확인하는 시간을 가질 수 있다. 문화 활동과 관련하여 특별 활동 시간이 있으면 활동 1이나 2를 보고 직접 한국 음식을 만들어 보는 시간을 가지는 것도 좋다.

□ [기본 교재]의 듣기와 읽기 활동이 끝나면 [더하기 활동 교재]의 '쓰기' 활동을 이어서 한다. 자신이 잘 만들 수 있는 요리법을 쓰는 요리책 쓰기가 '쓰기' 활동의 주제인데 [기본 교재]의 듣기와 읽기 활동을 마친 후에 이어 하기에 적합하다.

□ [더하기 활동 교재]에는 이외에도 음식이나 요리와 관련된 다양한 주제들이 활동으로 구성되어 있다. '듣기' 활동에서는 손맛이나 야식과 관련된 주제가, '읽기' 활동에서는 '음식 궁합'에 대해 소개하고 있어 다양한 한국 문화를 접할 수 있다.

이렇게 말해요	손맛	44쪽

□ '손맛'은 음식을 만들 때 손으로 직접 만들어서 내는 맛을 말한다. 보통 똑같은 재료에 똑같은 조리법으로 만드는 데에도 요리의 맛이 다를 때 '손맛' 때문이라고 이야기한다. '손맛이 뛰어나다, 손맛이 없다' 등의 표현을 함께 익히는 것이 좋다.

□ '손맛'은 낚싯대를 잡고 있을 때, 고기가 입질을 하거나 물고 당기는 힘이 손에 전하여 오는 느낌을 가리킬 때에도 사용한다. 이때에는 '손맛을 느끼다', '손맛이 짜릿하다' 등의 표현을 쓴다.

□ **한국 문화**

한국의 식사 예절에 대해 알려준다.

예 어른이 먼저 수저를 들어야 함. 어른과 식사 속도를 맞춰야 함 등

3B 05

딴생각을 하다가 버스를 놓쳐 버렸어요

어휘와 표현	실수	47쪽

□ **어휘 제시**

- '실수'와 관련된 어휘와 표현을 제시하고 있다. 제시된 어휘들은 물건을 사용하는 중에 할 수 있는 실수와 실수의 상황을 나타내는 어휘로 나눌 수 있다.
- 먼저 제시된 어휘는 물건을 사용하는 중에 할 수 있는 실수들을 나타내는 어휘들이다. 구체적인 물건과 상황 및 사진 자료 등을 활용하여 제시할 수 있다. '물건을 잃어버리다', 바쁘게 나오다가 물건을 집에 '놓고/두고 오기'도 한다. 손이 미끄러워 컵을 손에서 '놓치거나 떨어뜨려서 깨뜨리기도 하'며 친구에게 빌린 카메라를 '망가뜨릴' 수도 있다. 이들 어휘는 사진 자료와 함께 상황을 제시하면 보다 명확하게 이해가 가능하다.
  사람들이 많이 하는 실수의 상황 역시 실수의 상황을 구체적으로 제시하고, 교사가 동작을 보여 주면서 설명하여 제시한다.

□ **어휘 연습 및 활용**

- 어휘 학습이 끝나면 [기본 교재] 2번과 3번 문제를 확인한다. 2번은 제시된 자료를 보고 적절한 표현을 사용하여 문장을 완성하는 활동으로, 앞서 학습한 어휘의 의미를 확인할 수 있다. 3번은 말하기 활동으로 '최근에 한 실수'에 대한 이야기를 해 봄으로써 단원의 주제인 '실수'에 대해 생각해 볼 수 있다.
- [기본 교재]의 쓰기와 말하기 활동이 끝나면 [더하기 활동 교재] 활동을 이어 할 수도 있다. 하단에 제시되어 있는 새 어휘의 의미를 학습한 후에 더 다양한 상황에 어휘를 적용하는 연습을 통해 지식 강화 훈련을 하면 된다.

문법 1	-자마자	48쪽

※ 문법 1 항목은 사용 빈도와 중요도가 높은 항목이나, 형태 변화 및 제약이 비교적 단순하여 교수·학습 시간을 짧게 구성할 수 있다.

□ **문법 도입**

- 교재의 삽화 이용

교재의 삽화를 이용하여 목표 문법을 제시한다.

예 민호 씨는 어제 핸드폰을 샀어요. 그런데 핸드폰 가게에서 나와서 바로 핸드폰을 떨어뜨려서 수리를 맡겼어요. 핸드폰을 사자마자 떨어뜨렸어요.

- 교재에 제시된 예문 이용

삽화에 사용된 예문을 제외한 나머지 두 개의 예문을 이용하여 질문하고 학습자가 목표 문법을 사용하여 대답할 수 있도록 유도한다.

예 신제품 노트북이 아주 인기가 있는 것 같아요. 어떻게 알 수 있어요? 신제품 노트북이 나오자마자 다 팔렸어요.

□ **문법 설명**

- 의미: 어떤 상황이 일어나고 바로 이어서 또 다른 상황이 일어남을 나타낼 때 사용한다.
- 예문 및 제약

① '-자마자'는 동사와 함께 사용한다.

예 밥을 먹자마자 운동을 해요? (○)
날씨가 덥자마자 반팔 티셔츠를 입고 다녀요. (×)

② 형용사 뒤에 '-아/어지다'가 결합하면 '-자마자'와 함께 쓸 수 있다.

예 날씨가 덥자마자 반팔 티셔츠를 입고 다녀요. (×)
날씨가 더워지자마자 반팔 티셔츠를 입고 다녀요. (○)

③ '-자마자'의 앞 절에는 부정 표현이 올 수 없다.

예 밥을 안 먹자마자 점심시간이 끝났어요. (×)
밥을 먹자마자 점심시간이 끝났어요. (○)

문법 2	-아/어 버리다	49쪽

※ 문법 2 항목은 사용 빈도와 중요도가 높은 항목이므로 문법 1 항목에 비해 교수·학습 시간이 더 필요할 수 있다.

□ **문법 도입**

- 교재의 삽화 이용

교재의 삽화를 이용하여 목표 문법을 제시한다.

예 이 남자의 빵이 왜 없어요? 여자가 배가 고파서 다 먹었어요. 그래서 없어요. 이때 여자는 '-아/어 버리다'를 써서 말할 수 있어요. '미안해. 배가 너무 고파서 내가 다 먹어 버렸어.'

- 교재에 제시된 예문 이용

삽화에 사용된 예문을 제외한 나머지 두 개의 예문의 상황을 이용하여 질문하고 학습자가 목표 문법을 사용하여 대답할 수 있도록 유도한다.

예 이 사람은 왜 늦게 왔어요?

□ **문법 설명**

- 의미: 어떤 행위가 완전히 끝나서 아무것도 남지 않았거나 그 행위로 인해 어찌할 수 없는 상태가 되었음을 나타낼 때 사용한다. 이렇게 끝나게 된 행위의 결과로 인해 부담을 덜게 되어 시원하거나 아쉬움이 남게 되었음을 나타내기도 한다.
- 예문 및 제약

① '-아/어 버리다'는 동사와 함께 사용한다.

예 너무 늦게 와서 친구가 혼자 가 버렸어요.
밥을 너무 안 먹어서 배가 고파 버렸어요. (×)

② '-아/어 버리다'가 1인칭 주어와 함께 사용될 때는 의도적으로 어떤 행위를 했음을 나타내고, 3인칭 주어에서는 주로 원하지 않았던 결과가 되었음을 나타낸다.

예 화가 나서 문을 쾅 닫아 버렸어요. (일부러 소리나게 문을 닫음.)
친구도 화가 나서 떠나 버렸어요. (원하지 않은 결과)

활동	50~51쪽

□ [기본 교재] 활동 1은 실수를 한 경험에 대한 듣기와 말하기 활동이고, 활동 2 역시 실수를 한 경험을 쓴 일기를 읽는 활동이다. 듣기, 말하기와 읽기 활동을 통해 일상적으로 자주 하는 실수의 상황에 대해 이해하고 이러한 실수를 하지 않기 위해서 어떻게 해야 하는지 생각해 볼 수 있다.

□ [기본 교재]의 듣기와 읽기 활동이 끝나면 [더하기 활동 교재]의 '듣기'를 연계하여 학습한다. 최근 많이 사용하는 휴대폰의 문제점을 실수와 연관 지은 뉴스를 듣고 어떤 문제인지, 해결 방안은 무엇인지 생각해 볼 수 있다. 이를 통해 자주 하는 실수 경험에 대해 이야기하고 이를 통해 알게 된 점이나 고치기 위한 노력 등에 대한 말하기 활동을 진행할 수 있다.

□ [더하기 활동 교재]에는 실수와 관련된 활동이 제시되어 있다. '듣기'에서는 [기본 교재]의 활동 1, 활동 2와 같이 실수를 한 경험과 최근 잦은 휴대폰 사용으로 인한 실수, '읽고 말하기'에서는 실수를 통한 발명품에 대한 글을 읽어 볼 수 있다. 실수를 부정적인 것으로만 이해하지 않고 이를 극복할 수 있는 방법과 이를 통한 긍정적인 발명품에 대한 생각을 이야기해 볼 수 있다.

이렇게 말해요	감탄사	52쪽

□ 어떤 상황에서 실수를 했을 때 감탄사를 사용하는 경우가 많다. 잊고 있던 사실을 다시 떠올렸을 때 '어머, 어떡해!'와 같은 표현을, 상대방의 어이없는 실수 등에 대한 반응으로 많이 사용하는 신조어 감탄사인 '헐', 너무 깜짝 놀라거나 문제 해결 방법을 찾지 못해 난감한 상황에서 '헉, 어떡해! 어쩌지!'와 같은 표현을 사용한다.

□ **한국 문화**

사람들이 실수를 했을 때 자주 사용하는 행동에 대해 소개한다. 한국 사람들은 실수를 했을 때 미안하거나 부끄럽고 민망한 상황을 감추기 위해 살짝 미소를 짓거나 가볍게 웃는 경우가 있다. 이러한 행동을 하는 이유는 자칫 무거운 분위기로 이어질 수 있는 상황을 부드러운 분위기로 반전시키고자 하는 의미가 있다.

제가 좀 참을걸 그랬어요

어휘와 표현	사과와 용서	55쪽

□ **어휘 제시**

- '사과와 용서'와 관련된 어휘와 표현을 제시하고 있다.

1) 어휘 상단에는 '사과와 용서'와 관련된 동사가 나와 있다. 실수를 하고 사과와 용서를 하는 순서대로 제시되어 있어 스토리텔링하듯 제시하면 된다.

   예 실수나 말실수를 해서 친구가 오해를 하고 화를 낸다. 그래서 곧 후회하고 왜 그런 실수를 했는지 변명을 하고 사과를 한다. 친구는 나를 용서하고 우리는 화해를 하게 되고 사실대로 이야기를 함으로써 모든 오해를 풀게 된다.

2) 하단의 어휘는 '사과와 용서'를 할 때 활용할 수 있는 다양한 표현이다. 왼쪽에 제시된 표현은 사과를 하는 사람이, 오른쪽은 사과를 받아들이고 용서를 하는 사람이 사용할 수 있는 표현이다. 사과/용서하는 대상과 상황의 경중을 달리한 상황을 설정하여 제시하는 것이 좋다.

□ **어휘 연습 및 활용**

- 어휘 학습이 끝나면 [기본 교재] 2번 문제를 확인한다. 제시된 상황을 보고 적절한 표현을 사용하여 대화를 완성하는 활동으로, 앞서 학습한 어휘 및 표현의 의미를 확인할 수 있다. 이를 통해 다양한 상황에서 사과를 하고 용서를 하는 말하기 연습까지 연계할 수 있다.
- [기본 교재]의 쓰기와 말하기 활동이 끝나면 [더하기 활동 교재] 활동을 이어 할 수도 있다. 하단에 제시되어 있는 새 어휘의 의미를 학습한 후에 더 다양한 상황에 어휘를 적용하는 연습을 통해 지식 강화 훈련을 하면 된다.

문법 1	-았었/었었-	56쪽

※ 문법 1 항목은 사용 빈도와 중요도가 높은 항목이므로 문법 2 항목에 비해 교수·학습 시간이 더 필요할 수 있다.

□ **문법 도입**

- 교재의 삽화 이용

교재의 삽화를 이용하여 목표 문법을 제시한다.

예 여러분은 동생이나 언니 혹은 오빠가 있어요? 자주 싸워요? 요즘은 어때요?

- 교재에 제시된 예문 이용

삽화에 사용된 예문을 제외한 나머지 예문을 이용하여 질문하고 학습자가 목표 문법을 사용하여 대답할 수 있도록 유도한다.

예 이 남자는 지금 한국어를 잘해요? 예전에는 어땠어요? 한국에 처음 왔을 때는 한국어를 못 했었지만 지금은 한국어를 아주 잘해요.

여러분은 언제 지금처럼 키가 컸어요? 언제까지 키가 작았어요?

□ **문법 설명**

- 의미: 어떤 상황이 과거에 있었지만 계속 지속되지 않았음을 나타낼 때 사용한다. 해당 상황이나 동작이 과거의 어느 시점에 완전히 끝났음을, 과거와 현재가 다르거나 단절되어 있을 때 사용한다.

- 예문 및 제약

① '-았었/었었-'은 동사, 형용사와 함께 사용한다.

예 고향에서 수영을 배웠었어요.

어렸을 때는 키가 작았었어요.

② '-아/어서'와는 함께 사용하지 않는다.

예 10년 전에 영어를 배웠었어서 지금은 따로 공부하지 않아도 영어를 잘할 수 있다. (×)

③ 명사와 함께 쓰일 때는 받침이 있으면 '-이었었-'을, 받침이 없으면 '-였었-'이라고 쓴다.

예 학생이었었어요.

의사였었어요.

- 확장

과거를 나타내는 '-았/었-'도 있는데 '-았/었-'은 단순히 어떤 행위가 과거에 일어났다는 것을 나타내거나 그 행위가 끝나고 그 상태가 유지되고 있음을 나타낸다. 이에 반해 '-았었/었었-'의 경우 현재와 다르거나 과거와 현재가 단절되었음을 나타낸다.

예 미술을 전공했어요./미술을 전공했었다.

민수 씨, 전화 왔어요./민수 씨, 전화 왔었어요.

문법 2	-(으)ㄹ걸 그랬다	57쪽

※ 문법 2 항목은 사용 빈도와 중요도가 높은 항목이나 형태 변화 및 제약이 비교적 단순하여 교수·학습 시간을 짧게 구성할 수 있다.

□ **문법 도입**

- 교재의 삽화 이용

교재의 삽화를 이용하여 목표 문법을 제시한다.

예 이 남자는 지금 어때요? (배가 고파요.) 이 남자는 밥을 조금 먹어서 배고파요. 밥을 조금 먹은 것이 아쉬워요.

이때 '(으)'ㄹ걸 그랬다'를 써서 말할 수 있어요. '밥을 좀 더 먹을걸 그랬어요.'

- 교재에 제시된 예문 이용

교재에 제시된 예문의 상황을 이용하여 질문하고 학습자가 목표 문법을 사용하여 대답할 수 있도록 유도한다.

예 안나 씨가 유진 씨에게 아무 생각 없이 이야기를 했는데 유진 씨가 기분이 많이 나쁜 것 같아요. 그래서 많이 후회하고 있어요. 유진 씨에게 뭐라고 말하면 좋을까요? 이때 '-(으)ㄹ걸 그랬다'를 써서 말할 수 있어요. '미안해요. 한 번 더 생각하고 말할걸 그랬어요.'

- 교사와 학습자의 발화 이용

교사가 학습자들에게 상황을 제시하여 질문을 하고, 학습자의 대답을 듣는다.

예 ○○ 씨, 지난번 시험 성적이 별로 안 좋았어요. 무슨 일 있었어요?

□ **문법 설명**

- 의미: 말하는 사람 자신이 하지 않은 일이나 하지 못한 일을 후회하거나 아쉬워할 때 사용한다.

- 예문 및 제약

① '-(으)ㄹ걸 그랬다'는 동사와 함께 사용한다.

예 미리 밥을 좀 먹을걸 그랬어요.

키가 좀 클걸 그랬어요. (×)

활동	58~59쪽

□ [기본 교재] 활동 1은 친구와의 말다툼에 대한 듣기와 말하기 활동이고, 활동 2는 화해하는 방법에 대한 읽기 활동이다. 듣기 활동을 통해 친구와 말다툼을 하게 된 이유와 후회, 앞으로의 계획 등에 대해 생각해 보고, 읽기 활동을 통해 친구와 화해하는 다양한 방법에 대해 알아볼 수 있다.

□ [기본 교재]의 듣기와 읽기 활동이 끝나면 [더하기 활동 교재]의 '듣기'를 연계하여 학습한다. 친구와 말다툼을 하거나 싸운 후에 후회를 하고, 화해를 잘할 수 있는 방법을 적용하여 실제로 사과를 하고 용서를 하여 화해하는 듣기를 통해 자연스러운 화해의

과정을 이해할 수 있다. 활동이 끝난 후에 화가 나거나 오해를 하고 있는 친구에게 사과하는 편지 쓰기 활동도 연계해 볼 수 있다.

□ [더하기 활동 교재]에는 사과와 용서와 관련된 다양한 활동이 제시되어 있다. '듣기'에서는 '사과의 날'에 대한 뉴스 듣기, '읽고 말하기'에서는 물건에 생긴 문제로 인해 고객들에게 전달한 회사의 사과문 읽기 활동을 할 수 있다. 친구와의 다툼 상황 외에도 공식적인 상황에서의 사과를 요청하는 말하기 활동, 사과를 하는 쓰기 활동 등을 해 볼 수 있다.

이렇게 말해요	입이 가볍다	60쪽

□ '입이 가볍다'는 어떤 말이든 쉽게 하고, 다른 사람의 비밀 등을 잘 지키지 못하는 사람을 나타낼 때 사용하는 표현이다. 상황을 함께 제시하거나 영화, 드라마, 소설 등에 등장하는 인물 중에서 이와 유사한 인물을 함께 제시하여 설명할 수 있다. '입이 가볍다'의 반대말로는 '입이 무겁다'라는 표현이 있다.

□ **한국 문화**

사과를 할 때 사과하는 내용과 사과하는 말을 정확하게 표현하는 것이 중요하다는 것을 설명한다. 이에 따라 다양한 사과 표현이 있으며, 이에 대응하는 용서와 관련된 표현도 다양함을 설명한다.

캠핑을 같이 간다거나 친목 모임을 해요

어휘와 표현	동호회 활동	63쪽

□ **어휘 제시**

- 다양한 종류의 동호회와 동호회 활동과 관련된 어휘와 표현을 제시하고 있다.

1) 여러 종류의 동호회가 있음을 보여 주고 있다. 동호회와 유사한 어휘인 동아리, 소모임이 먼저 제시되고 있으니 그 차이를 설명하도록 한다. '동아리'는 주로 같은 학교의 학생들을 중심으로 한 모임을 지칭할 때, '소모임'은 인원이 적은 모임을 지칭할 때 사용한다. 아래에는 '운동'과 '음식', 그리고 야외 활동과 관련된 동호회를 묶어 제시한다. 여기에 제시된 것 외에 각 나라에서 자주 하는 동호회로는 어떤 것이 있는지 이야기하면서 각각의 분류에 새로운 동호회 어휘를 추가해 볼 수 있다.

2) 동호회 활동과 관련된 어휘로 구성되어 있다. 실제 동호회에 참가하여 활동하게 되는 절차를 스토리텔링 방식으로 이야기하며 각 상황에서 사용되는 표현을 제시한다.

예 한국 영화에 관심이 많아요. 그래서 다른 사람들과 모여서 같이 영화도 보고, 영화에 대해서 이야기도 하고 싶어요. 그럼 한국 영화 동호회를 만들어요. 그리고 동호회 활동을 함께 할 회원을 모집해요.

□ **어휘 연습 및 활용**

- [기본 교재] 2번은 그림을 보고 동호회 활동과 관련해서 배운 어휘와 표현을 확인해 보는 연습이다. 그림 1)은 '회원을 모집하다', 그림 2)는 '동호회에 가입하다' 그림 3)은 '동호회에 나가다', 그림 4)는 '친목을 다지다' 혹은 '모임을 하다'와 연결할 수

있다. 3번에서는 앞에서 배운 어휘와 표현을 활용하여 자신이 가입하고 싶은 동호회에 대해 말해 보는 활동을 한다.

- [더하기 활동 교재]에서는 동호회 활동 시작 전, 동호회 들어간 후, 동호회 활동의 장점과 관련된 내용으로 배운 어휘를 나누어 정리하는 활동을 한다. 또한 동호회에 대해 [기본 교재]에서 말해 본 내용을 문장으로 써 봄으로써 언어 사용의 정확성을 높일 수 있다.

문법 1	-아/어 가지고	64쪽

※ 문법 1 항목은 형태 변화 및 제약이 비교적 단순하여 교수·학습 시간을 짧게 구성할 수 있다.

□ **문법 도입**

- 교재의 삽화 이용

교재의 삽화를 이용하여 목표 문법을 제시한다.

예 이 사람은 잠을 못 자서 피곤해요. 왜 요즘 잠을 못 자요? (일이 많아서) 왜 요즘 잠을 못 자는지 이야기 해요. '요즘 일이 너무 많아 가지고 잠을 못 잤어요.'

- 교재에 제시된 예문 이용

삽화에 사용된 예문을 제외한 나머지 두 개의 예문을 이용하여 질문하고 학습자가 목표 문법을 사용하여 대답할 수 있도록 유도한다.

예 이 사람은 오늘 지각했어요. 왜 지각했어요?
이 사람은 왜 영화 동호회를 만들었어요? (영화를 좋아해 가지고)

□ **문법 설명**

- 의미: 앞 절의 행위나 상태가 뒤에 오는 행위의 이유임을 나타낼 때 사용하며, 주로 가까운 관계의 사람들 사이에서 말할 때 사용한다.
- 예문: 짐이 많아 가지고 택시를 타고 왔어요.
배가 불러 가지고 더는 못 먹겠어요.
휴대폰이 고장 나 가지고 연락을 못 받았어요.
어렸을 때 한국에 살아 가지고 한국어를 조금 할 줄 알아요.
다른 사람들이랑 같이 등산을 다니고 싶어 가지고 동호회에 가입했어요.
- 확장

'-아/어 가지고'는 서로 가까운 관계의 사람들 간의 말하기에서 주로 사용하며 공적인 상황에서는 거의 사용하지 않는다. 뜻밖의 일이 원인이 되었음을 설명할 때 사용하면 조금 더 자연스럽게 사용할 수 있으며, 질문에 답을 '-아/어 가지고'의 형태로 종결하는 방식으로 사용하기도 한다.

예 갑자기 약속이 취소되어 가지고 혼자서 영화를 봤어요.
가: 휴대폰 바꿨어?
나: 응. 휴대폰이 갑자기 고장 나 가지고.

문법 2	-는다거나/ㄴ다거나	65쪽

※ 문법 2 항목은 형태 변화 및 제약이 비교적 단순하여 교수·학습 시간을 짧게 구성할 수 있다.

□ **문법 도입**

- 교재의 삽화 이용

교재의 삽화를 이용하여 목표 문법을 제시한다.

예 이 사람은 스트레스를 받을 때 잠을 푹 자요. 매운 음식을 먹을 때도 있어요. 잠을 푹 잔다거나 매운 음식을 먹는다거나 해요.

- 교재에 제시된 예문 이용

삽화에 사용된 예문을 제외한 나머지 두 개의 예문을 이용하여 질문하고 학습자가 목표 문법을 사용하여 대답할 수 있도록 유도한다.

예 이 사람은 주말에 보통 산책을 해요. 아니면 가벼운 운동을 할 때도 있어요. 이 사람은 주말에 보통 뭐 해요? (산책을 한다거나 가벼운 운동을 해요.)
방학에 아르바이트를 하는 학생이 많아요. 봉사 활동을 하는 학생도 많아요. 학생들은 방학에 보통 뭐 해요? (아르바이트를 한다거나 봉사 활동을 해요.)

□ **문법 설명**

- 의미: 두 가지 이상의 사실을 나열할 때 사용한다.
- 예문: 주말마다 부모님을 만나러 간다거나 전화를 한다거나 해요.
편식을 한다거나 밤 늦게 식사를 한다거나 하는 것은 건강에 좋지 않아요.
건강을 위해서 규칙적으로 운동을 한다거나 영양제를 먹는다거나 하는 사람이 많아요.
- 확장

형용사와 결합할 때는 '-다거나', 명사와 결합할 때는 '(이)라거나'의 형태로 사용된다.

예 책이 너무 어렵다거나 더 알고 싶은 것이 있다거나 하면 질문하세요.
커피라거나 홍차 같은 카페인이 많이 들어 있는 음료를 자기 전에 마시는 것은 좋지 않아요.

활동	66~67쪽

□ [기본 교재] 활동 1은 동호회 가입을 권유하는 대화를 듣고 말하는 활동이며, 활동 2는 동호회 회원 모집 안내문을 읽고 직접 안내문을 써 보는 활동이다. 자신이 경험한 동호회 활동을 다른 사람에게 추천하고자 할 때 한국어로 어떻게 표현하는지 [기본 교재]의 텍스트를 통해 확인하고 직접 표현해 볼 수 있다.

□ [더하기 활동 교재]는 직장에서 이루어지는 여러 동호회 활동을

접할 수 있는 듣기와 읽기 텍스트로 구성되어 있다. 직장 동료들과의 동호회 활동이 가지는 장점, 직장 동호회 활동을 장려하는 이유 등에 대해 이야기하며 확장된 말하기 연습을 해 볼 수 있다.

이렇게 말해요	뚝딱뚝딱	68쪽

□ '뚝딱뚝딱'은 무언가를 만드는 모양을 표현하는 의태어로 능숙하게 움직이는 모양을 표현한다. 유사한 의태어 표현인 '척척', '술술' 등을 함께 제시할 수 있다.

□ **한국 문화**

한국에서는 학교, 직장 등 자신이 속한 단체의 구성원을 중심으로 동호회 활동이 이루어지기도 하고 최근에는 온라인 커뮤니티, 앱을 통해서 회원을 모집하고 동호회를 구성함을 이야기할 수 있다. 각 나라에서 이루어지는 동호회 활동과 비교해서 이야기해 볼 수 있다.

3B 08

일하느라고 바빠서 오랫동안 못 갔어요

어휘와 표현	휴가	71쪽

□ **어휘 제시**

- 휴가지의 유형, 숙박 장소를 지칭하는 명사와 휴가지에서 하는 일, 휴가지를 묘사하는 어휘와 표현을 제시한다.

1) 휴가지의 유형을 구분하는 어휘와 숙박 장소를 나타내는 어휘가 제시되어 있다. 선호하는 휴가지와 숙박 장소에 대한 학생들의 생각을 물으며 어휘를 제시한다. 학생들의 실제 휴가 경험을 바탕으로 학생들이 방문한 장소가 관광지, 휴양지, 유적지 중 어디에 해당하는지 이야기하면서 어휘를 제시할 수도 있다.
2) 휴가를 보내는 방식과 휴가지의 특징을 묘사하는 표현이 제시되어 있다. 첫 줄은 휴가를 보내는 방식을 나타내는 표현들로, 휴가가 있다면 무엇을 할 것인지 학생들에게 구체적인 행동을 묻고 이것이 '재충전', '밀린 일 처리하기', '여유 즐기기' 중 어디에 해당하는지 이야기하며 그 의미를 제시할 수 있다. 두 번째 줄은 휴가지의 특징을 묘사하는 표현으로, '볼거리가 많은 곳', '물가가 저렴한 곳', '자연 경관이 뛰어난 곳'으로 대표적인 곳을 특정하고 이를 예로 들어서 의미를 설명한다. 마지막으로 세 번째 줄은 휴가지에서 할 수 있는 일들을 제시하고 있다.

□ **어휘 연습 및 활용**

- [기본 교재] 2번은 그림을 보고 휴가에 하는 일을 문장으로 써 보는 연습이다. 그림 1)은 '여유를 즐기다', 그림 2)는 '관광지를 둘러보다', 그림 3)은 '현지 문화를 체험하다', 그림 4)는 '기념품을 사다'와 연결할 수 있다. 3번은 앞에서 제시된 어휘와 표현

을 사용해서 자신의 휴가 경험을 이야기하는 활동이다. 간단한 문장으로 자신이 휴가에 한 일을 말해 볼 수 있다.

- [더하기 활동 교재]에서는 [기본 교재]에서 학습한 어휘인 관광지, 휴양지, 유적지의 의미를 떠올리며 각각의 특징에 맞게 어울리는 어휘와 표현을 분류해서 정리하면서 어휘 지식을 강화한다. 또한 지난 휴가 경험에 대해 휴가지의 특징, 휴가지에서 한 일을 중심으로 학습한 어휘와 표현을 사용해서 이야기해 봄으로써 언어 사용의 정확성을 높인다.

문법 1	-느라고	72쪽

※ 문법 1 항목은 형태 변화는 단순하지만 의미와 사용 맥락에 대해 상세한 설명이 필요하여 문법 2 항목에 비해 교수·학습 시간이 더 필요할 수 있다.

□ **문법 도입**

- 교재의 삽화 이용

교재의 삽화를 이용하여 목표 문법을 제시한다.

예 여자가 전화를 했는데 남자가 받지 않았어요. 전화가 왔을 때 남자는 뭐 하고 있었어요? (자고 있었다.) 남자는 전화가 왔을 때 자느라고 전화를 못 받았어요.

- 교재에 제시된 예문 이용

삽화에 사용된 예문을 제외한 나머지 두 개의 예문을 이용하여 질문하고 학습자가 목표 문법을 사용하여 대답할 수 있도록 유도한다.

예 이 사람은 어젯밤에 잠을 안 잤어요. 보통 잠을 자는 시간에 책을 읽었어요. 이 사람은 어제 왜 밤을 새웠어요? (책을 읽느라고)

□ **문법 설명**

- 의미: 앞 절이 가리키는 어떤 행위가 뒤 절에 나타난 행위를 못 하게 만들거나 뒤 절에서 표현된 부정적 결과의 원인이나 이유가 될 때 사용한다. 앞 절과 뒤 절의 행위는 반드시 같은 시간에 발생한 것이어야 한다.

- 예문: 청소를 하느라고 전화가 오는 소리를 못 들었어요.
  음식을 만드느라고 청소를 못 했어요.
  친구하고 이야기하느라고 시간 가는 줄 몰랐어요.
  하루 종일 회의 준비를 하느라고 정신이 없었어요.
  그동안 시험공부 하느라고 고생이 많았어요.

- 제약

① 앞 절과 뒤 절의 주어가 반드시 같아야 한다.
내가 청소를 하느라고 동생이 전화가 오는 소리를 못 들었어요. (×)
(내가) 청소를 하느라고 (내가) 전화가 오는 소리를 못 들었어요. (○)

- 확장

'-느라고'는 이유를 나타내는 표현으로 앞 절과 뒤 절의 행위가 발생하는 시점이 같은 것을 전제로 한다. 따라서 두 가지 행위를 동시에 할 수 없기 때문에 앞 절의 행위만 하고 뒤 절의 행위를 할 수 없었을 때 사용한다. 반면 '-아서/어서'도 이유를 나타내지만 이때 앞 절과 뒤 절의 행위는 서로 다른 시간에 발생한다.

예 늦게까지 일을 하느라고 청소를 못 했어요.
일이 늦게 끝나서 청소를 못 했어요.

문법 2	-기는요	73쪽

※ 문법 2 항목은 형태 변화 및 제약이 비교적 단순하여 문법 1 항목에 비해 교수·학습 시간을 짧게 구성할 수 있다.

□ **문법 도입**

- 교재의 삽화 이용

교재의 삽화를 이용하여 목표 문법을 제시한다.

예 아침 일찍 학교에 갔는데 다른 친구가 먼저 와 있어요. 이 친구는 항상 제일 먼저 학교에 와요. 그래서 친구에게 칭찬을 해요. 정말 부지런하네요. 이 말을 들은 친구는 칭찬해 준 것이 고맙지만 대단한 일이 아니라는 의미로 '부지런하기는요.'라고 대답할 수 있어요.

- 교재에 제시된 예문 이용

삽화에 사용된 예문을 제외한 나머지 두 개의 예문을 이용하여 질문하고 학습자가 목표 문법을 사용하여 대답할 수 있도록 유도한다.

예 친구에게 '고마워요'라고 감사 인사를 해요. 이런 인사를 들으면 뭐라고 대답해요? (고맙기는요.)
휴가라서 3일 동안 쉴 수 있어요. 친구가 부러워하면서 '휴가라서 좋겠어.'라고 말했어요. 그런데 휴가라서 좋지만 좋지 않은 점도 약간 있어요. 이런 때에 뭐라고 대답해요? (휴가라서 좋기는.)

□ **문법 설명**

- 의미: '-기는요'는 앞에 나오는 내용을 가볍게 부정할 때 사용하며, 주로 상대방의 칭찬에 겸손하게 반응할 때 사용한다.

- 예문: 한국어 발음이 정말 좋네요. - 발음이 좋기는요.
  주노 씨는 친구가 많네요. - 친구가 많기는요.
  안나 씨는 매운 음식을 잘 먹네요. - 잘 먹기는요.
  유진 씨는 노래를 아주 잘 부르네요. - 잘 부르기는요.

- 확장

대화에서 다른 사람의 감사 인사, 사과 등에 대해 겸손하게 반응할 때도 사용한다. 특별히 감사하거나 사과 할 일이 아니라는 의미로 사용한다.

예 짐 옮기는 것 도와줘서 고마워요. - 고맙기는요. 별로 어려운 일도 아니었는데요 뭐.
회의 준비를 별로 도와주지 못해서 미안해요. - 미안하기는요. 주노 씨도 다른 일 때문에 많이 바빴잖아요.

활동	74~75쪽

□ [기본 교재] 활동 1은 휴가 계획에 대해 듣고 말하는 활동이며, 활동 2는 다른 사람이 휴가를 다녀와서 에스엔에스(SNS)에 남긴 글을 읽고 쓰는 활동이다. 활동 2는 특히 에스엔에스(SNS)라는 실제 매체의 글을 읽어 볼 수 있다.

□ [더하기 활동 교재] 첫 번째 듣기는 [기본 교재] 활동 1에서 들은 내용과 이어지는 내용으로 휴가에 할 일을 더 구체적으로 계획하는 내용이다. [더하기 활동 교재]의 두 번째 듣기에서는 TV의 생활 정보 방송 혹은 라디오에서의 생활 정보 소개와 같은 매체 담화의 특성이 담긴 텍스트를 들을 수 있다. 읽고 쓰기에서는 휴가를 보내는 방법에 대한 글을 읽고 자신의 경험에 대한 진술이 아닌 '행복한 휴가'에 대한 자신의 의견이 담긴 글을 써 볼 수 있다.

이렇게 말해요	호캉스	76쪽

□ '호텔에서 보내는 바캉스'라는 의미의 신조어임을 소개한다. 호캉스 외에 휴가와 관련된 신조어로 집콕, 방콕 등을 소개하며 휴가 문화의 변화에 대해 이야기해 볼 수 있다.

□ **한국 문화**
한국인들이 휴가에 즐겨 찾는 곳을 소개한다. 관광지(부산), 휴양지(제주도), 유적지(경주)로 나누어 소개하거나, 지역별로 대표적인 곳(예 강원도-속초, 강릉/충청도-제천, 보령/전라도-전주, 완주/경상도-남해 등)을 선정해서 특징과 함께 소개한다.

두 사람이 많이 부러운 모양이에요

어휘와 표현	결혼	79쪽

□ **어휘 제시**
- '결혼'과 관련된 어휘와 표현을 제시하고 있다. 제시된 어휘들은 크게 '만남에서 결혼까지의 과정'과 '결혼식 관련 어휘 및 결혼식 순서'로 나눌 수 있다.
  1) '만남에서 결혼까지의 과정'을 설명할 수 있는 어휘들로 '연애하다, 선을 보다, 청혼하다, 결혼하다'가 있다. 사랑하는 사람과의 첫 만남에서부터 결혼까지의 과정을 스토리텔링하듯이 전달한다.
     예 사랑하는 사람과 연애를 하거나 선을 봐서 좋은 사람을 만난다. 결혼하고 싶은 사람에게 청혼을 하고 결혼을 한다.
  2) 나머지 어휘들은 '결혼식 관련 어휘 및 결혼식 순서' 어휘로, 사진 등의 실물 자료를 활용하여 제시하는 것이 좋다. '결혼식 순서'와 관련된 표현은 한국 문화와 관련된 부분으로 영상 등의 실물 자료를 활용하여 순서와 상황을 함께 설명하는 것이 좋다.

□ **어휘 연습 및 활용**
- 어휘 학습이 끝나면 [기본 교재] 2번과 3번 문제를 확인한다. 2번은 결혼식 식순지에 순서에 맞게 적절한 표현을 사용하여 완성하는 활동으로, 앞서 학습한 어휘 및 표현의 의미를 확인할 수 있다. 3번은 2번과 연계한 활동으로 친구의 결혼식 사회를 해 봄으로써 한국의 결혼식과 그 순서에 대해 이해할 수 있다.
- [기본 교재]의 쓰기와 말하기 활동이 끝나면 [더하기 활동 교재] 활동을 이어 할 수도 있다. 하단에 제시되어 있는 새 어휘들의 의미를 학습한 후에 더 다양한 상황에 어휘들을 적용하는 연

습을 통해 지식 강화 훈련을 하면 된다.

문법 1	-는/(으)ㄴ 모양이다	80쪽

※ 문법 1 항목은 사용 빈도와 중요도가 높은 항목이므로 문법 2 항목에 비해 교수·학습 시간이 더 필요할 수 있다.

□ **문법 도입**

- 교재의 삽화 이용

교재의 삽화를 이용하여 목표 문법을 제시한다.

예 과장님이 화가 많이 난 것 같아요. 화를 많이 내시죠? 과장님이 왜 이렇게 화가 났을까요? 과장님이 화가 난 이유를 이야기할 때 '-는/(으)ㄴ 모양이다'를 써요. 재민 씨가 뭔가 실수를 한 모양이에요.

- 교재에 제시된 예문 이용

삽화에 사용된 예문을 제외한 나머지 두 개의 예문을 이용하여 질문하고 학습자가 목표 문법을 사용하여 대답할 수 있도록 유도한다.

예 주노 씨가 얼마 전에 소개팅을 했어요. 그 후로 늘 웃는 얼굴이에요. 주노 씨는 요즘 왜 늘 웃는 얼굴일까요?
마리 씨가 급하게 뛰어가요. 왜 그렇게 급하게 뛰어갈까요?

□ **문법 설명**

- 의미: 어떤 사실이나 상황을 가지고 추측한 내용을 이야기할 때 사용한다.
- 예문 및 제약

① '-는/(으)ㄴ 모양이다'는 동사, 형용사와 함께 사용한다.

예 매일 늦게 오는 걸 보니 아르바이트를 하는 모양이에요.
요즘 매일 늦게 오는 걸 보니 일이 많은 모양이에요.

② '-는/(으)ㄴ 모양이다'는 주변 상황을 통해 그럴 것이라고 추측하는 경우에 사용하며, 말하는 사람이 직접 경험한 사실에 대해서는 쓰지 않는다.

예 밖에 나가 보니까 비가 오는 모양이에요. (×)
사람들이 우산을 쓰고 가는 걸 보니 비가 오는 모양이에요. (○)

문법 2	같이	81쪽

※ 문법 2 항목은 사용 빈도와 중요도가 높은 항목이나 형태 변화 및 제약이 비교적 단순하여 교수·학습 시간을 짧게 구성할 수 있다.

□ **문법 도입**

- 교재의 삽화 이용

교재의 삽화를 이용하여 목표 문법을 제시한다.

예 제주도 경치가 어때요? 아름답죠? 무엇과 비슷하게 아름다워요? 그림의 아름다움과 많이 비슷해요. 그때 '같이'를 써서 말해요. '제주도 경치가 정말 그림같이 아름다웠어요.'

- 교재에 제시된 예문 이용

삽화에 사용된 예문을 제외한 나머지 예문을 이용하여 질문하고 학습자가 목표 문법을 사용하여 대답할 수 있도록 유도한다.

예 우리 선생님은 어떤 분이세요?

□ **문법 설명**

- 의미: 앞에 오는 명사가 보이는 전형적인 특징과 비슷하거나 같음을 나타낼 때 사용한다.
- 확장

① 큰 의미 차이 없이 '처럼'과 바꿔 쓸 수 있다.

예 제주도 경치가 그림같이 아름다웠어요.
제주도 경치가 그림처럼 아름다웠어요.

② '같이'가 앞말이 보이는 전형적인 어떤 특징과 유사함을 나타내는 데 반해, '처럼'은 앞말이 지시하는 대상과 유사함을 나타낸다.

예 친구의 이야기같이 한국 사람들은 정이 많다. (?)
친구의 이야기처럼 한국 사람들은 정이 많다. (○)
친구같이 한국어를 잘하고 싶다. (○)
친구처럼 한국어를 잘하고 싶다. (○)

③ '불같이 화를 내다', '새처럼 날고 싶다' 등과 같이 비유적인 표현이 굳어져 사용되기도 한다. 다만, 이때는 '같이'와 '처럼'을 바꿔 사용하면 어색한 표현이 된다.

활동	82~83쪽

□ [기본 교재] 활동 1은 결혼식을 직접 보면서 한국의 결혼식에 대해 대화하는 듣기 활동이고, 활동 2는 한국의 결혼 문화에 대한 읽기 활동이다. 듣기 활동을 통해 자신의 나라와 다른 한국의 결혼식에 대해 이해할 수 있고, 읽기 활동을 통해 최근 달라진 한국의 결혼 문화에 대해 알아볼 수 있다.

□ [기본 교재]의 듣기와 읽기 활동이 끝나면 [더하기 활동 교재]의 '듣기' 2번을 연계하여 학습한다. 읽기를 통해 최근 달라진 한국의 결혼 문화의 전반적인 내용을 이해했다면 [더하기 활동 교재]의 새로운 결혼식 문화를 소개하는 뉴스 듣기를 통해 한국의 결혼식 문화에 대해 조금 더 자세히 알고 이해할 수 있다.

□ [더하기 활동 교재]에는 결혼과 관련된 다양한 활동이 제시되어 있다. '듣기'에서는 달라지고 있는 결혼 문화 안에서도 계속 이어져 오고 있는 전통 결혼 문화인 '폐백'에 대한 대화를 들을 수 있다. '읽기'에서는 '좋은 배우자의 조건'에 대한 읽기 활동을 할 수 있다. 이러한 활동을 통해 자신이 원하는 결혼 상대와 하고 싶은 결혼식에 대하여 말하고 쓰는 활동으로 자연스럽게 연계할 수 있다.

이렇게 말해요	장가가다/시집가다	84쪽

□ '장가가다'는 '남자가 신부를 맞아 혼인을 하다'라는 뜻으로 남자가 결혼을 해서 장인과 장모가 사는 집인 '장가(丈家)로 들어간다'라는 말이다. 과거 한국이 모계 사회일 때는 남자가 결혼을 하면 여자의 집으로 들어가서 살았는데 이때부터 시작된 말이다. '장가가다'는 '장가들다'라는 표현으로도 사용된다. '시집가다'는 '여자가 신랑을 맞아 혼인을 하다'라는 뜻으로 여자가 결혼한 남자의 집인 '시집(시아버지와 시어머니가 사는 집)으로 들어간다'라는 말이다. 여자가 결혼을 하면 결혼하기 전까지 살던 집을 떠나 신랑의 부모가 살고 있는 집으로 들어가서 산다는 의미로 사용되었다.

□ **한국 문화**

결혼과 관련된 여러 한국 문화를 소개한다.

예 국수를 먹다, 웨딩 시즌 등

3B 10

떡국을 한 그릇 다 먹었더니 배가 불러요

어휘와 표현	명절	87쪽

□ **어휘 제시**

- '명절'과 관련된 어휘와 표현을 제시하고 있다. 제시된 어휘들은 크게 '명절'과 '명절에 하는 일', '명절에 하는 인사'로 나눌 수 있다.

1) 첫 번째로 제시된 세 어휘는 한국의 대표적인 명절이다. 각 명절의 날짜와 의미를 간단하게 설명하고 학습자의 나라에도 이와 유사한 명절이 있는지 물어본다.
2) 두 번째로 제시된 어휘는 '명절에 하는 일'에 대한 표현들이다. 이들 표현은 1)에서 제시한 각각의 명절에 먹는 음식, 하는 일, 하는 놀이 순서대로 설명을 한다. 이때 한국 문화와 관련된 부분이 많으므로 사진이나 영상 등의 실제 자료를 활용하여 제시하고 설명하는 것이 좋다. 제시된 표현들 중에는 겹치는 부분이 있으므로 모든 설명이 끝난 후에는 벤 다이어그램을 활용해 간단하게 명절별로 정리를 해 주는 것도 좋다.
3) 마지막 두 개의 표현은 '명절에 하는 인사'로 설날과 추석에 하는 인사를 알려 준다.

□ **어휘 연습 및 활용**

- 어휘 학습이 끝나면 [기본 교재] 2번과 3번 문제를 확인한다. 2번은 각 명절에 하는 일을 적절한 표현을 사용하여 완성하는 활동으로, 앞서 학습한 어휘 및 표현들의 의미를 확인할 수 있다. 3번은 한국의 명절에 해 보고 싶은 것이 무엇인지 이야기를 해 봄으로써 단원의 주제인 '명절'에 대해 생각해 볼 수 있다.
- [기본 교재]의 쓰기와 말하기 활동이 끝나면 [더하기 활동 교

재] 활동을 이어 할 수도 있다. 하단에 제시되어 있는 새 어휘의 의미를 학습한 후에 더 다양한 상황에 어휘를 적용하는 연습을 통해 지식 강화 훈련을 하면 된다.

문법 1	-던데요	88쪽

※ 문법 1과 문법 2 항목 모두 사용 빈도와 중요도가 높은 항목이므로 다른 단원에 비해 교수·학습 시간이 더 필요할 수 있다.

□ **문법 도입**

- 교재의 삽화 이용

교재의 삽화를 이용하여 목표 문법을 제시한다.

예 여러분 떡국을 먹어 봤어요? 어땠어요? 예전에 먹은 떡국이 맛있었어요? 선생님의 질문에 대답할 때 어떻게 말할 수 있을까요? 이때 '-던데요'를 써서 말하면 돼요. '떡국을 먹었는데 정말 맛있던데요.'

- 교재에 제시된 예문 이용

삽화에 사용된 예문을 제외한 나머지 예문을 이용하여 질문하고 학습자가 목표 문법을 사용하여 대답할 수 있도록 유도한다.

예 이 사람은 친구가 이야기한 영화를 봤어요. 영화가 어땠어요? 유진 씨가 없네요. 유진 씨는 어디에 갔어요?

□ **문법 설명**

- 의미: 과거에 직접 경험한 어떤 장면을 떠올리면서 그때 느낀 사실을 감탄하듯이 말할 때 사용한다.

- 예문 및 제약

① '-던데요'는 동사, 형용사와 함께 사용한다.

예 유진 씨가 매운 음식을 잘 먹던데요.
유진 씨가 동생보다 키가 더 크던데요.

② '-던데요'는 주어가 2, 3인칭일 때 주로 사용한다.

예 저는 축구를 잘하던데요. (×)
주노 씨가 축구를 잘하던데요. (○)

③ '-던데요'는 말하는 사람이 직접 경험한 일에 대해서만 쓴다.

예 아까 오다가 들었는데, 유진 씨가 집으로 급하게 뛰어가던데요. (×)
아까 오다가 봤는데, 유진 씨가 집으로 급하게 뛰어가던데요. (○)

- 확장

'-던데요'는 끝 부분을 살짝 올려 말한다.

문법 2	-았더니/었더니	89쪽

※ 문법 1과 문법 2 항목 모두 사용 빈도와 중요도가 높은 항목이므로 다른 단원에 비해 교수·학습 시간이 더 필요할 수 있다.

□ **문법 도입**

- 교재의 삽화 이용

교재의 삽화를 이용하여 목표 문법을 제시한다.

예 명절에 한복을 입고 친구 집에 갔는데 사람들이 다 멋있다고 말했어요. 친구들이 명절에 한복을 입고 사람들을 만났어요? 라고 물어봐요. 그때 '-았더니/었더니'를 써서 말할 수 있어요. '명절에 친구 집에 한복을 입고 갔더니 모두 멋있다고 했어요.'

- 교재에 제시된 예문 이용

삽화에 사용된 예문을 제외한 나머지 예문을 이용하여 질문하고 학습자가 목표 문법을 사용하여 대답할 수 있도록 유도한다.

예 '친구에게 주말 잘 보냈어요?'라고 물어 봤어요. 친구가 뭐라고 했어요?
친구들에게 한국 음식을 만들어 준 적이 있어요? 친구들의 반응이 어땠어요?

□ **문법 설명**

- 의미: 앞 절에서 한 행동에 대한 반응을 나타낼 때 사용한다.

- 예문 및 제약

① '-았더니/었더니'는 동사와 함께 사용한다.

예 친구에게 선물을 줬더니 친구가 정말 좋아했어요.
친구가 예전에는 키가 컸더니 지금 모델이 됐어요. (×)

② '-았더니/었더니'는 앞 절과 뒤 절의 주어가 다르다. 앞 절에는 주로 1인칭이 온다.

예 (제가) 한복을 입고 갔더니 친구들이 모두 예쁘다고 했어요.

③ '-았더니/었더니'가 간접 인용절에 사용되면 뒤 절에는 주로 앞 절에 대한 상대방의 반응이 온다.

예 주말에 무엇을 했냐고 했더니 그냥 집에서 쉬었다고 해요.

활동	90~91쪽

□ [기본 교재] 활동 1은 한국에서 직접 경험해 본 설날 모습에 대한 듣기 활동이고, 활동 2는 한가위 행사에 대한 읽기 활동이다. 듣기 활동을 통해 한국의 설날 풍경에 대해 이해할 수 있고, 읽기를 통해 명절에 많이 열리는 다양한 행사에 대해 알 수 있다.

□ [기본 교재]의 듣기와 읽기 활동이 끝나면 [더하기 활동 교재]의 '듣기' 2번을 연계하여 학습한다. '듣기' 2번은 한국의 '정월 대보름'에 대한 대화로, 한국의 다양한 명절 풍습을 이해할 수 있다. 앞서 듣기와 읽기를 통해 설날과 추석이 어떤 명절인지 알게 되었다면 한국의 또다른 대표적 명절인 정월 대보름에 대해 이해하고, 이어서 자국의 대표적인 명절에 대해 소개하는 말하기로 자연스럽게 연계할 수 있다.

□ [더하기 활동 교재]에는 명절과 관련된 다양한 활동이 제시되어 있다. '듣기'에서는 [기본 교재]의 듣기에서 이어지는 한국의 설날 모습을 알 수 있고, '읽고 말하기'에서는 추석의 다른 이름인 '한가

위'를 소개하는 카드 뉴스를 읽고 이해할 수 있다. 간단하게 정리한 카드 뉴스 읽기에 이어 자국의 명절 중에서 소개하고 싶은 명절에 대한 카드 뉴스 만들기 활동도 함께 할 수 있다.

이렇게 말해요	차린 건 없지만 많이 드세요	92쪽

□ '차린 건 없지만 많이 드세요'는 다른 사람을 집에 초대하거나, 식사에 초대했을 때 식사를 하기 전에 식전 인사로 많이 사용하는 표현이다.

□ **한국 문화**

명절과 관련된 여러 한국 문화를 소개한다.

예 명절의 변화, 단오, 차례상, 성묘, 떡국/송편의 의미, 명절 선물(선물 세트) 등

3B 11

자격증 준비나 외국어 공부도 미리 해 두면 좋을 거야

어휘와 표현	취업	95쪽

□ **어휘 제시**

- '취업'과 관련된 다양한 어휘와 표현이 제시되어 있다. 회사 지원과 좋은 직장의 조건, 그리고 취업 준비에 필요한 활동과 관련된 어휘들로 구성되어 있다.

1) 입사 지원과 관련된 어휘들이 가장 먼저 제시되어 있다. 입사 지원 순서에 맞게 어휘가 순서대로 제시되어 있으므로 스토리텔링하듯이 어휘의 의미를 전달할 수 있다.

예 신입 또는 경력 사원을 뽑는 회사에 먼저 입사 지원서를 써야 한다, 입사 지원서를 쓰려면 이력서와 자기 소개서를 써야 한다. 등

2) 이어 일하고 싶은 직장의 조건과 관련된 어휘를 학습한다. 해당 어휘의 의미를 알아본 후 또 다른 조건에는 어떤 것이 있는지 학생들과 이야기를 나눈다.

취업 준비를 할 때 필요한 활동과 관련된 어휘도 구성되어 있다. 해당 어휘의 의미를 확인한 후 취업 준비 활동으로 또 어떤 것이 있는지 학생들과 이야기를 나눈다.

□ **어휘 연습 및 활용**

- 어휘 학습이 끝나면 [기본 교재] 2번과 3번 문제를 확인한다. 2번은 사진을 보고 회사에 지원하는 순서를 쓰는 활동이고, 3번은 직장을 구할 때 중요하게 생각하는 조건에 대한 말하기 활동이다. 이러한 활동을 이어 함으로써 앞서 학습한 어휘들의 이해 여부를 확인할 수 있다.
- [기본 교재]의 쓰기와 말하기 활동이 끝나면 [더하기 활동 교재] 활동을 이어 하면 된다. 1번은 취업 관련 어휘들을 주제에

맞게 분류하는 활동이고, 2번은 취업 준비에 필요한 활동과 그 이유에 대해 써 보는 활동으로 이를 통해 지식 강화 훈련이 이루어진다.

문법 1	-아/어 가다	96쪽

□ **문법 도입**

- 교재의 삽화 이용

교재의 삽화를 이용하여 목표 문법을 제시한다.

예 여자는 2017년 3월에 입사해서 지금까지 일하고 있어요. 현재는 2020년 2월이에요. 이 여자는 일한 지 얼마나 되었어요? 3년이 되었어요. 그리고 지금도 계속 일하고 있고 앞으로도 계속 일할 거라고 말하고 싶어요. 그러면 '3년이 되어 가요'라고 말하면 돼요. '-아/어 가다'는 어떤 행동의 변화가 계속되거나 진행됨을 나타내고 싶을 때 사용하는 문법이에요.

- 교재에 제시된 예문 이용

삽화에 사용된 예문을 제외한 나머지 두 개의 예문을 이용하여 질문하고 학습자가 목표 문법을 사용하여 대답할 수 있도록 유도한다.

예 친구가 나에게 "일 다 못 했어?"라고 물었어요. 나는 지금 일을 하고 있어요. 아직 다 하지 않았어요. 그렇지만 곧 끝날 거 같아요. 그러면 어떻게 대답하면 될까요?

□ **문법 설명**

- 의미: 어떤 동작이 진행되거나 상태가 계속됨을 나타낼 때 사용하는 문법이다.
- 예문: 조금 어렵지만 조금씩 배워 가겠습니다.
  제가 그 일을 그만둔 지도 벌써 6개월이 다 되어 갑니다.
  아이가 아빠를 점점 닮아 갑니다.
- 확장

① '-아/어 가며', '-아/어 가면서'의 구성으로 자주 쓰인다.

예 좀 쉬어 가면서 일해요.
우리는 밥을 먹어 가며 발표 준비를 했어요.

② 어떤 동작이 진행되거나 상태가 계속됨을 나타내는 문법으로 '-아/어 오다'도 있다. 과거부터 현재까지 지속된 것은 '-아/어 오다'를 쓰고, 현재부터 지속될 일은 '-아/어 가다'를 쓴다.

예 10년 전부터 이 배우를 좋아해 왔어요.
한국어를 3년 전부터 공부해 왔어요.

문법 2	-아/어 두다	97쪽

□ **문법 도입**

- 교재의 삽화 이용

교재의 삽화를 이용하여 목표 문법을 제시한다.

예 책상 위에 열쇠를 올려 놓았어요. 그 열쇠는 지금도 계속 책상 위에 있어요. 변화 없이 계속 그대로 있을 거예요. 이럴 때 '-아/어 두다'를 사용해서 '책상 위에 열쇠를 놓아 뒀어요.'라고 말해요.

- 교재에 제시된 예문 이용

삽화에 사용된 예문을 제외한 나머지 두 개의 예문을 이용하여 질문하고 학습자가 목표 문법을 사용하여 대답할 수 있도록 유도한다.

예 친구가 시험 때문에 긴장이 돼서 밥을 못 먹었다고 이야기했어요. 그런데 나는 밥을 먹어야 힘을 낼 수 있다고 생각해요. 그럴 때 친구에게 어떻게 말하면 좋을까요?

□ **문법 설명**

- 의미: 어떤 행위나 동작을 한 상태를 그대로 유지함을 나타낸다. 또한 다른 일을 준비하기 위해 어떤 행위를 먼저 하거나 한 상태로 있음을 나타낸다.
- 예문: 외출하기 전에 문을 꼭 잠가 두었어요.
  차를 서점 앞에 세워 두고 화장실에 다녀왔어요.
  시험을 잘 보려면 열심히 공부해 두어야 합니다.
- 제약 및 확장

① '-아/어 두다'는 '-아/어 놓다'와 바꿔 쓸 수 있다.

예 어제 산 우유를 냉장고에 넣어 놓았어요/두었어요.

② '-아/어 두다'는 '-아/어 놓다'보다 다른 일에 대비해 어떤 행위를 함을 더 강조한다.

예 선생님의 연락처를 써 놓았어요. (써 놓은 상태를 유지함을 나타냄.)
선생님의 연락처를 써 두었어요. (선생님의 연락처가 필요할지도 모르는 상황을 대비함을 나타냄.)

활동	98~99쪽

□ [기본 교재]의 활동 1은 취업 준비에 대한 듣기 활동이고, 활동 2는 세대별 선호하는 직장 조건과 관련된 읽기 활동이다. 듣기 활동을 통해 취업을 준비하는 방법에 대해 서로 정보를 공유할 수 있고, 읽기 활동을 하면서 세대별로 가장 선호하는 직장의 조건이 어떻게 다른지 비교해 볼 수 있다.

□ [기본 교재]의 듣기와 읽기 활동이 끝나면 [더하기 활동 교재]의 '듣기'와 '읽기' 활동도 살펴 본다. [더하기 활동 교재]의 기능 활동은 모두 취업에 필요한 면접과 관련된 주제인데, 면접 준비 및 면접을 잘 보는 방법에 대한 듣기 활동과 면접에서 중요한 '첫인상'

에 대한 읽기 활동으로 구성되어 있어 함께 학습하면 좋다.

□ 단원 활동이 모두 끝나면 [더하기 활동 교재]의 '쓰기' 활동을 진행한다. '쓰기' 활동의 주제는 '자기 소개서'이다. 진학이나 취업에 있어 자기 소개서는 특히 중요하다. 그런데 자기 소개서는 포함해야 할 내용과 지켜야 할 형식이 분명한 글이다. 그러므로 교사는 자기 소개서 쓰는 방법을 먼저 학생들과 살펴본 후 글을 쓰도록 지도하는 것이 중요하다.

이렇게 말해요	취준생	100쪽

□ '취준생'은 '취업 준비생'을 줄인 말이다. 취업난이 심각한 시대의 영향으로 취업과 관련된 신조어들이 많다. 각 나라에는 어떠한 신조어가 있는지 같이 이야기를 나누어 본다.

예: 한국 - 공시족, 밥터디, 대학둥지족 등

□ 한국에서는 '취준생'처럼 사용의 간소함 때문에 어휘를 줄여서 쓰는 경우가 많다. 다른 나라에서는 어떤 줄임말을 쓰는지 이야기 나누어 본다.

예 한국 - 알바(아르바이트), 워라밸(Work-life balance) 등

□ **한국 문화**

한국에는 시험이나 취업을 앞둔 중요한 날에 선물하는 음식과 조심하는 음식이 있다. 그 의미도 함께 전달한다.

예 찹쌀떡, 엿 등(선물하는 음식), 미역국 등(조심하는 음식)

한국으로 유학을 가려고 준비하는 중이에요

어휘와 표현	유학 준비	103쪽

□ **어휘 제시**

- '유학 준비 및 생활'과 관련된 다양한 표현을 제시하였다.
  유학을 준비하는 과정 및 유학 생활과 관련된 필수 어휘들이 시간 순서대로 제시되어 있다. 학습자에게 스토리텔링하듯이 어휘의 의미를 전달할 수 있다.

  예 마리 씨는 내년에 한국에서 석사 공부를 하고 싶어 해요. 그래서 지금 한국 유학을 계획하고 있어요. 한국에서 공부하려면 무슨 비자가 필요해요? 한국 대학교, 대학원은 몇 년 동안 공부해요? 한국 대학교, 대학원에 지원할 때 무슨 서류가 필요해요? 이런 한국 유학 정보를 어디에서 얻을 수 있을까요?

  목표 어휘 및 표현의 의미를 익힌 후 학습자는 교사가 읽는 목표 표현들을 하나씩 따라 읽는다.

□ **어휘 연습 및 활용**

- 어휘 학습이 끝나면 [기본 교재] 2번과 3번 문제를 확인한다. 2번은 그림을 보고 적절한 어휘를 쓰는 활동으로, 앞서 학습한 어휘의 의미를 확인할 수 있다. 3번은 말하기 활동으로 한국으로 유학을 가는 것을 상상하면서 무엇을 준비해야 하는지 친구들과 자유롭게 이야기해 볼 수 있다. 교사는 3번 활동이 유의미한 활동이 되도록 학습자에게 적절한 피드백을 제공하고 잘하는 팀은 발표를 시킬 수 있다.
- [기본 교재]의 쓰기와 말하기 활동이 끝나면 [더하기 활동 교재] 활동을 이어 할 수도 있다. 여기에서는 유학 준비 및 생활과 관련된 실제적인 표현을 좀 더 확장할 수 있다. 하단에 제시되

어 있는 새 어휘의 의미를 학습한 후에 어휘장을 통한 단어 연습이나 문장 단위 쓰기 연습을 통해 지식 강화 훈련을 하면 된다.

문법 1	-기는 하다	104쪽

□ **문법 도입**

- 교재의 삽화 이용

교재의 삽화를 이용하여 목표 문법을 제시한다.

예 이 학생은 요즘 한국 유학을 준비하고 있어요. 친구가 질문해요. '한국 유학 준비는 잘 되고 있어?' 이 사람은 유학 준비를 하는 것은 맞아요. 하지만 준비가 잘 되는 것은 아니에요. 여권, 서류, 학교 생활 등 걱정되는 일이 많아요. 그래서 이렇게 말해요. '준비하고 있기는 하지만 걱정되는 일이 많아.'

- 교재에 제시된 예문 이용

삽화에 사용된 예문을 제외한 나머지 두 개의 예문을 이용하여 질문하고 학습자가 목표 문법을 사용하여 대답할 수 있도록 유도한다.

예 미나 씨는 한국에 유학을 가려고 비자를 신청했어요. 친구가 질문해요. '미나 씨, 비자 받았어요?' 미나 씨가 비자를 신청한 것은 맞아요. 그런데 비자를 받으려면 시간이 좀 걸릴 것 같아요. 이럴 때 '-기는 하다'를 사용해서 어떻게 말해요?

□ **문법 설명**

- 의미: '-기는 하다'는 상대방의 의견이나 대화 주제와 관련된 일부 내용을 긍정하면서 다른 상황, 의견을 제시할 때 사용한다. 상대방의 의견에 가볍게 부정할 때도 사용한다.

- 예문: 요즘 바쁘기는 한데 잘 지내요.
  한국 음식을 좋아하기는 하지만 매운 음식은 잘 못 먹어요.
  숙제를 하기는 했는데 모르는 문제가 많았어요.

- 제약

동사는 '-기는 하는데', 형용사는 '-기는 한데'로 사용한다.

- 확장

① '-기는'의 형태로 사용하여 상황에 따라 일부 부정이 아닌 전체 부정 또는 강한 부정의 의미를 나타낸다.

예 가: 오늘 종일 안 보이던데 어디 갔었어?
나: 가기는 어딜 가? 오늘 계속 집에 있었어.

② 3B 8과에서 배운 '-기는요'는 문장의 끝에서 사용되고 상대방의 칭찬에 대해 가볍게 부정하며 겸손함을 나타내지만 이번 단원 목표 문법 '-기는 하다'는 '-기는'을 사용해 일부 내용을 인정, 긍정하면서 '-기는 하다' 다음에 따라오는 다른 상황, 의견을 추가로 제시한다.

문법 2	-는 중이다	105쪽

□ **문법 도입**

- 교재의 삽화 이용

교재의 삽화를 이용하여 목표 문법을 제시한다.

예 여러분 여기 보세요. 지금 엘리베이터가 고장이 났어요. 그래서 이렇게 질문해요. '엘리베이터를 아직 타면 안 되나요?' 남자는 지금 엘리베이터를 고치고 있어요. 그래서 이렇게 말해요. '네. 아직 고치는 중이에요.' 이렇게 어떤 일이 진행되는 것을 말할 때 '-는 중이에요'라고 해요.

- 교재에 제시된 예문 이용

삽화에 사용된 예문을 제외한 나머지 두 개의 예문을 이용하여 질문하고 학습자가 목표 문법을 사용하여 대답할 수 있도록 유도한다.

예 한국으로 유학을 가려고 해요. 지금 고민하고 있어요. '고민하고 있어요.'를 다르게 어떻게 말해요?

□ **문법 설명**

- 의미: '-는 중이다'는 어떤 일이 진행되고 있음을 나타낼 때 사용한다.

- 예문: 지금 친구를 기다리는 중이에요.
  지금 수업하는 중이에요. 이따가 전화해 주세요.
  여행을 가려고 요즘 돈을 모으는 중이에요.

- 확장

'[명사] 중이다'를 활용해서 간단하게 말할 수도 있다.

예 김 대리님은 회의 중입니다.
박 선생님은 지금 수업 중이에요.
공사 중이니 돌아가세요.

활동	106~107쪽

□ [기본 교재] 활동 1은 유학 생활에 대한 듣기 활동이고 활동 2는 대학교 면접시험 수험생 유의 사항을 읽고 핵심 정보를 찾는 읽기 활동이다. 듣기 활동을 통해 유학 준비와 관련된 다양한 표현을 실제적인 맥락에서 이해하고, '대학교 면접시험 유의 사항'에 대한 안내문을 읽고 중요한 정보를 파악하는 읽기 연습을 한다.

□ [기본 교재]의 듣기 활동을 한 후 [더하기 활동 교재]의 듣기 활동을 하며 유학원 상담과 입학 면접 상황에서 사용되는 다양한 표현을 심화 확장할 수 있다. [기본 교재] 읽기 활동을 마친 후 [더하기 활동 교재]의 성공적인 한국 유학 생활에 대한 텍스트를 읽고 주제 관련 다양한 표현을 문맥 안에서 이해하고 확장할 뿐만 아니라 성공적인 유학 생활에 대한 현실적인 조언도 얻는다.

□ [더하기 활동 교재]의 '쓰기' 활동에서는 배운 문법과 표현을 충분히 활용하여 해외 유학의 장점과 단점, 성공적인 유학을 위해 필요한 것들에 대해 글을 써 본다. 본격적인 글쓰기 단계 전에 '유학

의 장점, 유학의 단점, 유학을 잘하기 위해 필요한 것'에 대해 반 전체가 브레인스토밍 활동을 하며 글쓰기에 필요한 내용들을 함께 정리하고 나아가 개요 짜기 연습도 해 볼 수 있다.

이렇게 말해요	스펙	108쪽

□ 스펙은 직장을 구하기 위해 필요한 학력, 학점, 자격증, 외국어 성적, 대외 활동 등을 합하여 이르는 말이다. 취업을 위한 자격이 잘 갖추어진 경우 '스펙이 좋다/충분하다/뛰어나다/훌륭하다/대단하다' 등과 같이 표현할 수 있다. 반대로 취업에 필요한 자격이 잘 갖추어지지 않았을 경우 '스펙이 안 좋다/부족하다/떨어지다' 등과 같이 표현할 수 있다.

□ **한국 문화**

한국 대학생들의 취업 스터디 문화를 소개한다.

예 한국 대학생들은 스펙을 쌓기 위해 무엇을 할까요?
취업 스터디가 뭘까요? 취업 스터디에서 무엇을 할까요?

메모

메모

메모

세종한국어 | 교사용 지도서 3

문화체육관광부
국립국어원

(07511) 서울 강서구 금낭화로 154
전화: +82 (0)2-2669-9775
전송: +82 (0)2-2669-9747
홈페이지 http://www.korean.go.kr

기획•담당	박미영	국립국어원 학예연구사
	조 은	국립국어원 학예연구사
책임 집필	이정희	경희대학교 국제교육원 교수
공동 집필	박진욱	대구가톨릭대학교 한국어문학과 조교수
	손혜진	고려대학교 국제한국언어문화연구소 연구교수
	김윤경	부산외국어대학교 한국어문화교육원 교사
	이정윤	계명대학교 국제사업센터 한국어학당 강사
	윤세윤	경희대학교 국제교육원 객원교수
집필 보조	고정대	대구가톨릭대학교 국어국문학과 박사과정
	심지연	고려대학교 교양교육원 초빙교수
	정성호	경희대학교 국어국문학과 박사수료
	서유리	경희대학교 국어국문학과 박사과정

초판 1쇄 인쇄 2022년 8월 15일
초판 1쇄 발행 2022년 9월 1일
ISBN 978-89-97134-48-9 (14710)
ISBN 978-89-97134-21-2 (세트)

출판 • 유통 공앤박 주식회사 (www.kongnpark.com)
(05116) 서울시 광진구 광나루로56길 85,
프라임센터 1518호
전화: +82 (0)2-565-1531
전송: +82 (0)2-3445-1080
전자우편: info@kongnpark.com

총괄 | 공경용
책임 편집 | 이유진, 이진덕, 여인영
편집 | 김령희, 성수정, 최은정, 함소연
아트디렉팅 | 오진경
디자인 | 이종우, 서은아, 이승희
제작 | 공일석, 최진호
IT 지원 | 손대철, 김세훈
마케팅 | Sung A. Jung, Paulina Zolta, 윤성호